L'APPEL DE LA FORÊT

JACK LONDON

L'APPEL DE LA FORÊT

Suivi de

VAL-RIEN-QU'EN-OR

et

LA PASSION DE VIVRE

Adaptation de Rémi Simon
Illustrations de Patrice Douénat

CHAPITRE I

Buck était un chien. Un chien magnifique. De son père Elno, un terre-neuve énorme, il avait le poids massif, l'encolure puissante, la fourrure épaisse et la majesté. De sa mère Sheps, une authentique collie écossaise, il gardait les formes élancées, la tête fine et l'intelligence quasi humaine du regard. Il régnait avec une autorité paisible et incontestée sur le petit peuple des chiens de berger ou d'écurie, sur l'affreux japonais Toots, sur le bizarre Isabel, le chien mexicain à peau nue et grise, sur les poules, les lapins, les dindons, et en général sur tout ce qui peuplait le domaine du juge Miller, dans la vallée ensoleillée de Santa Clara, en Californie.

Le domaine était grand. De la route, on ne voyait qu'à peine la demeure, cachée par de vieux arbres, au-delà desquels on discernait un perron classique à fronton blanc triangulaire et à colonnes, débordant une calme et fraîche véranda. De plus près, on aurait constaté que la véranda encadrait les quatre côtés de la demeure donnant sur des allées sablées et des pelouses tondues et arrosées par une armée de jardiniers qui soignaient également d'imposants massifs de fleurs. Plus loin, cachés par des haies de peupliers et de rhododendrons, se trouvaient les habitations des jardiniers et des domestiques, grooms, femmes de chambre et lingères qui veillaient à la bonne marche du domaine et de la maison. Derrière la belle demeure, c'étaient les communs, les écuries, les granges et les hangars où l'on serrait les récoltes et les instruments de labour.

Depuis quatre ans, Buck promenait dans cet univers la majesté de ses formidables épaules et le dédain de ses yeux d'or. Il restait le plus souvent auprès de son maître le juge, couché au coin du feu, sur le tapis, clignant des yeux et bâillant de temps à autre, ou regardant d'un air entendu, la tête sur les pattes, les volumes innombrables de la bibliothèque.

Mais s'il entendait au-dehors les fils du juge qui sellaient leur cheval, il se levait d'un air digne et partait les accompagner longuement dans les bois et les champs, trottant infatigablement d'un air grave dans les hautes herbes ou les broussailles. De même, lorsque les jeunes gens, en été, prenaient un bain matinal dans le grand réservoir cimenté, qualifié de piscine pour la circonstance, Buck considérait comme de son devoir de plonger à leur suite et de nager vigoureusement avec toute la béatitude que le terre-neuve apporte à cet exercice. Il se secouait ensuite avec énergie, répandant sans ménagement les litres d'eau que son épaisse fourrure avait emmagasinés comme une éponge. Après quoi, mis en appétit, il allait sans façon à la cuisine demander à déjeuner.

Quelquefois, même, lorsque les filles du juge venaient avec leurs enfants, le majestueux Buck consentait à trotter en portant sur son dos quelque marmot dodu qui lui tirait les oreilles, sous l'œil attendri de ses parents. Les enfants l'adoraient tout en le redoutant un peu, encore que les formidables crocs qui ornaient sa brave gueule de chien n'eussent jamais servi à autre chose qu'à ronger les os. Mais Buck était aussi inflexible sur la discipline qu'un adjudant écossais, et les surveillait avec vigilance sans tolérer la moindre infraction aux règles préétablies, comme aller se promener tout seul dans la campagne, ou s'approcher du bassin, ou taquiner les abeilles.

Buck était donc le tyran du domaine, parfaitement content de lui-même, avec une légère tendance à l'embonpoint que combattaient heureusement son appétit d'exercices physiques et son amour de la natation.

C'était sans conteste un chien admirablement beau, d'une force, d'une vigueur et d'une taille exceptionnelles. Sa poitrine était formidablement vaste, son dos droit, ses pattes larges, ses flancs musclés et sa fourrure épaisse et lustrée. Et il n'y aurait eu que cela à dire, s'il n'avait pas eu quatre ans en 1897.

Or, en cette année 1897, il arriva que beaucoup de gens décidaient subitement de partir vers le Grand

Nord, vers les solitudes glacées du Klondike et les blizzards du Puget Sound.

Car, quelque temps auparavant, en creusant la terre gelée de cet immense pays désert, on y avait trouvé de l'or. Beaucoup d'or. Et tous ceux que rongeait l'espoir d'une fortune rapide quittaient tout pour courir la chance, et s'en allaient vers ce Nord où, croyaient-ils, il suffisait de se baisser pour devenir millionnaire.

Mais il n'y avait rien dans le Nord. Ni soleil, ni routes, ni nourriture, ni chevaux. Il n'y avait que de l'or, des forêts, de la neige et des loups. Il n'y avait que des Indiens, qui vivaient pauvrement de la chasse et de la pêche, des trappeurs, qui vivaient du piégeage et du commerce des fourrures, et des chiens, pour tirer leurs traîneaux. Et il fallait beaucoup de chiens, car le chien est le seul animal domestique qui puisse supporter les températures glaciales du Wild, au-delà du grand cercle polaire.

N'importe quel chercheur d'or, n'importe quel trappeur, et même n'importe quel Indien aurait donné une fortune pour posséder Buck. Et c'est précisément là ce que vint à penser un jeune jardinier de la propriété du juge Miller, un nommé Manoël.

Manoël était marié, et il avait des enfants. Il n'était pas mal payé et aurait pu mieux vivre. Mais voilà, Manoël avait une passion pour la loterie chinoise, qui était, hélas ! largement pratiquée en Californie. Quelquefois, il gagnait ; le plus souvent, il perdait et espérait toujours se refaire au coup suivant. Malheu-

reusement, avec ce système, il avait toujours des dettes de jeu criardes.

Et c'est pourquoi, un soir que le juge et ses fils discutaient ensemble dans la bibliothèque, le jeune Manoël appela Buck, qui le suivit tranquillement, croyant à une petite flânerie au crépuscule.

Tous deux traversèrent le domaine, puis suivirent la grand-route au pas de promenade.

Lorsqu'ils arrivèrent à la petite gare de College Park, un homme inconnu poussa un sifflement d'admiration en voyant l'énorme bête, et mit quelques pièces d'or dans la main de Manoël. Buck comprit mal pourquoi Manoël lui passait au cou une corde ; il se laissa faire sans émotion, cependant, ayant pleine confiance envers les gens de la maison. Il commença cependant à grogner lorsque l'inconnu saisit le bout de la corde. Au grognement, l'homme répondit par un mouvement de la main, et la corde se mit à serrer le cou de Buck, lui coupant la respiration. Furieux, Buck voulut se jeter sur l'homme, mais un nouveau tour de poignet resserra encore davantage la corde et Buck, les carotides comprimées, à moitié étranglé, incapable de lutter contre le nœud coulant, ne comprenant rien à ce qui lui arrivait, fut jeté sans ménagement dans le fourgon à bagages.

Le train s'ébranla sans qu'il s'en aperçût. Le traitement avait été si rude qu'il était tout bonnement évanoui. Il revint à lui quelques minutes plus tard, et comprit aussitôt où il était. Le juge l'avait emmené bien des fois en train avec lui. Dans la pénombre, la première chose qu'il vit fut l'homme qui avait donné de l'or à Manoël. Le voir et bondir sur lui fut immédiat. Mais la corde était toujours là et le chien fut arrêté net dans son élan par le nœud, au moment où ses crocs se refermaient déjà sur la main de l'homme. L'os craqua quand même sous les dents blanches. L'homme poussa un hurlement. Un employé du chemin de fer accourut.

« Cette bête féroce a des attaques d'épilepsie, expliqua l'homme, en serrant sa main blessée dans un mouchoir. Son maître la fait emmener à San Francisco pour la faire soigner.

– A San Francisco ? s'étonna l'employé en restant à distance raisonnable de la " bête fauve ", il n'y a donc pas de vétérinaire dans le coin ?

– Si, mais ils disent qu'il faut le tuer. Et comme son maître y tient beaucoup...

– C'est vrai que ça vaut de l'argent, un chien comme ça ! dit l'employé avec admiration. Eh bien, bon courage ! »

Lorsqu'ils arrivèrent à San Francisco, la bataille avait été rude. Buck était inanimé, à peu près étranglé par la corde qui lui avait cisaillé la peau malgré sa fourrure, et les vêtements du voleur étaient en loques, son pantalon déchiré à partir du genou, et sa main était tant bien que mal emmaillotée dans son mouchoir rouge de sang.

Inconscient, Buck fut traîné par l'homme jusqu'à une espèce de bar louche au bord de l'eau, où ils pénétrèrent par l'arrière. Le cabaretier accueillit l'homme en ami.

« Satané animal ! dit le voleur en dénouant le

mouchoir qui protégeait sa main, cinquante dollars pour convoyer ce monstre ! Quand j'y pense, je ne recommencerais pas pour mille !

– Cinquante dollars ? dit le patron en versant à son camarade un solide verre de gin, et combien l'autre a-t-il eu ?

– Cette canaille n'a jamais voulu le lâcher pour moins de cent dollars !

– Cent cinquante au total ? fit le patron en examinant l'animal, cent cinquante ? Eh bien, vraiment, ce n'est pas cher, si tu veux mon avis !

– Tu en parles à ton aise ! Regarde plutôt ma main ! Pourvu que je n'aie pas attrapé la rage, encore !

– Allons donc, dit le patron avec un gros rire, des gens comme toi, ça ne meurt pas enragé, ça meurt pendu ! Dis donc, il faudrait peut-être lui enlever son collier, maintenant... »

Le nœud coulant eut encore une fois raison de la vitalité affaiblie de Buck, et, avec force jurons et beaucoup de précautions, les deux compères parvinrent à limer le solide collier de cuivre où était gravé le nom du juge et qui était rivé au cou du chien. Cela fait, ils jetèrent Buck dans une cage solide, avec des barreaux de fer et des côtés en bois.

Buck y passa une triste nuit. La gorge douloureuse, assoiffé, furieux, il cherchait à comprendre ce que pouvait signifier ce traitement, alors que le pire de ses crimes passés n'avait jamais été puni que de quelques coups de laisse. Au moindre bruit, il dressait les oreilles, espérant voir apparaître le juge ou quelqu'un de la maison, mais c'était toujours l'un ou l'autre des deux compères et il poussait alors un grognement de rage en montrant les dents.

A l'aube, quatre hommes entrèrent et saisirent la caisse, qu'ils placèrent sur un camion.

Buck commença par aboyer avec fureur. Puis, écumant de colère impuissante, il se coucha avec hargne dans un coin de la cage, grondant sourdement et gardant l'œil ouvert.

Il resta ainsi plusieurs jours que dura le voyage, refusant de manger et de boire, transbordé d'un train à un autre, passant d'une gare à un fourgon et traversant en quarante-huit heures une grande partie des États-Unis, du sud au nord.

Comme il ne répondait que par des grognements aux avances des employés ceux-ci l'abandonnèrent à lui-même, refusant d'approcher la cage et le laissant sans manger. Affamé, assoiffé, l'œil sanguinolent et les babines retroussées, il avait vraiment l'air d'une bête fauve. Le juge Miller lui-même eût-il reconnu le majestueux Buck qui se couchait à ses pieds dans la tranquille bibliothèque ? Les employés du train poussèrent un soupir de soulagement en débarquant à Seattle la cage et son contenu et allèrent fêter cet événement à la buvette.

Une heure plus tard, quatre robustes gaillards déposèrent la cage avec précaution dans une sorte de cour étroite et triste, entourée de hauts murs.

Un homme s'y promenait paisiblement. Il était lourd et trapu, et portait un chandail collant de laine rouge, avec les manches retroussées au-dessus du coude. Il regarda Buck à travers les barreaux, d'un œil connaisseur, tout en tirant sur une courte pipe avec un bruit de glou-glou.

Buck flaira instantanément en cet homme un nouvel ennemi et se jeta contre les barreaux en aboyant.

L'homme au chandail rouge eut un sourire en coin et posa sa pipe sur un banc. Puis, il cracha dans ses mains, saisit un solide gourdin et une courte hache, et s'approcha posément de la cage de Buck.

« Eh là ! dit l'un des quatre hommes en reculant d'un pas, tu ne vas pas le lâcher comme ça ?

– Tu crois ? répondit l'autre, attends un peu, tu vas voir ! »

Et, d'un coup sec, il inséra le tranchant de la hache entre les planches qui formaient les côtés de la cage.

Les quatre hommes se bousculèrent pour sortir de l'étroite cour, et reparurent un instant plus tard perchés sur le mur afin de regarder sans danger ce qui allait se passer.

En entendant les coups de hache qui disjoignaient peu à peu sa prison, Buck se leva, convulsé de rage et d'impatience, prêt à dévorer le premier qui lui tomberait sous les crocs.

« Là ! là ! disait l'homme, tout en continuant son travail ; ne t'excite pas comme cela, mon gros ! Tu vas voir, l'ami, tu me lécheras la main, tout à l'heure ! Un peu de patience ! »

Les planches cédaient peu à peu, avec un bruit de clous qui grincent dans le bois, et le fond présenta bientôt une ouverture assez large. Enfin, lorsqu'une dernière planche ne tint presque plus, l'homme rejeta au loin sa hache et, saisissant fermement son gourdin, il attendit l'assaut.

Buck, lui, n'attendit pas. D'un seul élan, il enfonça de l'épaule le bois disjoint et bondit à l'attaque, les crocs en avant et l'écume à la gueule. Il ne comprit rien à ce qui lui arrivait : un maître coup de gourdin le cueillit au vol en plein sur le museau et le rejeta au sol à demi assommé. Aveuglé de rage, le grand chien se remit sur pied en un éclair et bondit de nouveau. De nouveau, le gourdin le cueillit au vol, puis une troisième fois, une quatrième, manié avec une adresse et une force exceptionnelles. Les tentatives de Buck se faisaient de plus en plus maladroites, mais sa rage augmentait et, affolé de fureur et de souffrance, il repartait chancelant affronter l'impitoyable bâton.

Au bout de quinze essais, hébété, sourd, aveugle, le sang lui coulant des narines et des oreilles, il demeura à terre, inerte, assommé. Il ne restait pas grand-chose du superbe Buck.

Alors, l'homme s'avança froidement et, levant son gourdin, lui assena un coup formidable sur la truffe. Buck poussa un gémissement aigu sous ce coup plus douloureux que tous les autres, et, avec un sursaut d'énergie, s'élança de nouveau, la langue pendante. Mais l'homme l'attendait là. Lâchant le bâton, il saisit l'animal par la gueule, forçant de ses deux mains les deux mâchoires incapables de se refermer, puis, l'enlevant de terre, il le fit tournoyer dans l'air comme un paquet de chiffons et le rejeta au loin dans la cour où il retomba lourdement, la tête la première.

Buck resta prostré, immobile, vaincu, presque mort.

« Hein ? dit l'un des spectateurs en donnant à son voisin un coup de coude dans les côtes, tu as vu cela ? Il n'y en a pas deux comme lui pour mater un chien !

– J'espère bien, répondit l'autre en descendant du mur. Pour moi, j'aimerais mieux casser des cailloux tout le restant de ma vie que de faire ce métier-là. C'est répugnant ! »

Buck reprenait peu à peu connaissance, sans bouger du sol, et voyait à travers un voile rouge l'homme au chandail qui s'approchait tranquillement de lui.

« Eh bien ! mon gros père ! dit l'homme en s'accroupissant près de lui, cela va-t-il mieux, maintenant ? Un petit peu, n'est-ce pas ? Comment vous appelle-t-on, au fait ? »

Il consulta la pancarte fixée aux barreaux de la cage :

« Buck, paraît-il ? Eh bien ! monsieur Buck, je pense que nous nous sommes compris maintenant. Vous connaissez votre place, celle d'un bon chien. Moi, je serai bon maître. Si vous êtes gentil, cela marchera tout seul, si vous voulez faire le méchant, vous referez connaissance avec Martin-Bâton ! Mais ce ne sera pas la peine, hein ? »

Et, sans la moindre crainte, l'homme au chandail rouge tendit la main vers l'énorme tête ensanglantée, qui se hérissa mais ne fit pas un mouvement sous la rude caresse. Et quand l'homme un instant plus tard lui apporta une terrine d'eau fraîche, Buck la but avidement, de même qu'il accepta avec soumission la viande crue que l'homme lui tendit morceau par morceau.

Buck était dompté. Désormais, il savait une chose,

c'est qu'il ne pouvait rien contre l'homme armé d'une trique. Il avait appris la loi du plus fort.

Cette grande loi primitive, que les mœurs douces du Sud ne lui avaient jamais inculquée, lui fut encore confirmée par le spectacle des jours suivants. D'autres chiens arrivaient, en effet, les uns dociles, les autres révoltés. Ceux-ci, le terrible bâton les soumettait chacun à son tour. La leçon s'ancra ainsi dans son esprit.

Cependant, jamais Buck n'aurait imité la bassesse de certains chiens qui, roués de coups, se traînaient pour venir lécher la main du maître. Buck obéissait, mais sans rien perdre de sa fierté et en regardant fixement son ennemi le plus longtemps possible.

Les chiens arrivaient, restaient quelques jours ou quelques heures, puis venaient des hommes qui les examinaient, donnaient quelque chose à l'homme au chandail rouge et les emmenaient avec eux. On ne les revoyait plus. Buck ne s'y intéressait pas, d'ailleurs.

Un matin, un petit homme se présenta au chenil. Il était sec et noiraud, avait l'œil vif et parlait une langue bizarre dans laquelle Buck ne reconnaissait pas les sons familiers de l'anglais parlé habituellement.

« Tâberrrnacle ! s'écria-t-il, en voyant Buck, v'là un cré failli chien ! Le diable m'emporte ! Combien en demandez-vous ?

– Trois cents dollars ! répondit l'homme au chandail rouge. Et c'est un vrai cadeau, pour un animal pareil, vous le voyez bien. Et puis c'est l'argent du gouvernement, hein, Perrault ? Ce n'est pas le vôtre, alors pas besoin de vous gêner ! »

Perrault était connaisseur. Il se contenta de rire en

examinant l'animal. Oui, trois cents dollars, ce chien-là les valait bien. Le gouvernement canadien ne renâclait pas à la dépense pour voir ses dépêches officielles arriver au plus vite. Et, avec ce chien-là, on irait bien moitié plus rapidement !

Buck, impassible, entendit tinter des pièces qui passaient d'une main à l'autre. Puis, le petit homme sec l'appela et, sur l'invitation du marchand, il le suivit, comme le suivait déjà un autre chien qu'il avait acheté, un sympathique terre-neuve nommé Curly et qui était arrivé le matin même.

On embarqua sur un navire qui vomissait des torrents de fumée noire par ses deux cheminées.

Buck était plus content qu'il ne l'avait été depuis longtemps, et, la gueule ouverte, la langue pendante, il regarda s'éloigner, avec bonne humeur, les quais de Seattle.

Il ignorait, naturellement, qu'il ne devait jamais revoir les rives tièdes du Sud.

CHAPITRE II

Après le Canadien Perrault, Buck ne tarda pas à faire la connaissance de son collègue et ami François, qui, lui, était de teint beaucoup plus sombre. C'était en effet un métis de Canadien français et d'Indien. C'était une espèce de géant à la voix sonore et au langage extraordinaire, mais qui savait parler aux chiens. Buck ne tarda pas à ressentir à l'égard des deux hommes une estime et un respect profonds. L'affection n'entrait pour rien dans ce sentiment primitif ; c'était plutôt une confiance absolue dans leur justice et leur parfaite connaissance des chiens, car, pour le reste, Perrault et François étaient des coureurs de forêts, durs et solides, mais froids et peu démonstratifs.

Dans l'entrepont du *Narwhal*, le paquebot qui remontait vers le Nord, Buck et Curly firent la connaissance des autres chiens que les deux agents fédéraux avaient également acquis. L'un était un grand mâtin tout blanc, avec une queue en panache, chien du Spitzberg ramené sur un baleinier et qui tirait son nom de son pays d'origine. Spitz était rusé et dissimulé. Dès le premier repas en commun, il essaya de voler la part de Buck. Celui-ci allait se jeter sur son nouveau compagnon lorsque la longue lanière du fouet manié par François vint cingler le mâtin en sifflant, et Spitz abandonna sans attendre le poisson séché. Cette manifestation de justice fit monter François d'un cran dans l'estime de Buck.

L'autre chien, Dave, était renfermé et solitaire. Il fit comprendre rapidement à Curly, qui multipliait les avances, qu'il entendait être laissé tranquille. Mais si Dave ne pensait qu'à manger, boire et dormir, au moins n'était-il ni sournois ni voleur. Il était facile de rester en bonne intelligence avec lui.

L'on entra bientôt dans la baie de la Reine-Charlotte et la haute mer prit le navire. Le tangage et les coups de roulis, les gémissements de la coque sous les coups de lame rendirent immédiatement Buck et Curly fous de terreur, sous les yeux méprisants de Dave qui, devant cette agitation, bâilla et se retourna pour dormir. Les deux chiens finirent par se calmer et s'habituèrent à ce mode de transport.

Les jours passaient, la température devenait de plus en plus froide. Si froide que Buck n'avait jamais rien connu de tel dans son Sud natal.

Puis, un jour, le navire s'arrêta et une grande agitation s'empara des passagers du bateau. François vint dans l'entrepont attacher les chiens deux par deux et les conduisit au-dehors. Le temps était extrêmement froid.

Après la bousculade de la passerelle, en mettant le pied sur le quai, Buck fut très intrigué : il enfonçait dans une chose molle, blanche et froide qui ressemblait à de la poussière mouillée. Il poussa un gémissement et regarda, interdit, autour de lui : de petites choses blanches voletaient dans l'air et certaines s'accrochaient à sa fourrure. Il en happa une, restée sur son épaule, et demeura surpris ; cela brûlait comme du feu et fondait comme de l'eau.

Beaucoup de spectateurs rirent de ce spectacle, pourtant Buck était bien excusable de n'avoir jamais vu de neige de sa vie !

La première journée à Dyea fut l'une des plus dures de la vie de Buck.

Chaque instant apportait une surprise ou une angoisse nouvelles. Elevé au cœur de la civilisation du Sud, il se retrouvait sans guère de transition rejeté en pleine barbarie. Tout était danger ; hommes et bêtes ne semblaient connaître que la loi du croc et du bâton.

Sur cette terre neigeuse, les chiens étaient innombrables, et ils se livraient des batailles féroces pour le moindre motif. Le premier contact de Buck avec ces animaux plus semblables à des loups qu'à des chiens lui resta gravé dans la mémoire : ce fut la mort de Curly.

Fidèle à son caractère amical, le grand terre-neuve était allé faire des avances à un chien à moitié sauvage, de la taille d'un loup solide, mais moitié moins grand que lui. La réponse fut inattendue : un bond sans préavis, rapide comme la foudre, une brève lueur de crocs suivie d'un autre bond de côté et la joue de Curly était ouverte jusqu'à l'os.

C'est la méthode de combat du loup, il frappe et fuit. Mais cette fois, trente ou quarante chiens qui traînaient dans les parages accoururent de toutes parts à ce spectacle et formèrent bientôt un large cercle silencieux autour des deux antagonistes. Assis sur leur arrière-train, l'œil attentif et brillant, ils se léchaient de temps en temps les babines avec un claquement de dents sinistre. Buck ne comprenait pas ce que signifiait cette manière de faire. Quant à Curly, revenu de son étonnement, il se précipita sur son ennemi qui l'attendait : nouveau bond du chien sauvage, nouveau claquement de crocs et nouveau saut en arrière. Puis, à un nouvel assaut de Curly, le chien répondit par une tactique inconnue. Au lieu de mordre, il bouscula d'un coup d'épaule le malheureux terre-neuve, qui roula à terre déséquilibré dans son élan. L'ennemi n'attendait que cela. La meute hurlante ne fit qu'un bond sur le vaincu, qui disparut sous la masse. Spitz contemplait la scène en tirant sa langue rouge, on aurait dit qu'il riait. François arriva en courant, criant des jurons et faisant des moulinets avec son gourdin. Trois hommes accoururent l'aider, avec des triques, mais il était trop tard. La meute hurlante s'enfuit sur la neige piétinée et sanglante, mais Curly égorgé restait sans vie sur le champ de bataille. Buck médita longtemps cette terrible scène.

Il n'eut pas le temps, d'ailleurs, de se familiariser

beaucoup avec les autres chiens du pays, car François lui réservait une nouvelle épreuve, le traîneau.

Le métis commença par lui fixer sur les épaules et la poitrine des courroies de cuir qui se croisaient et s'attachaient par des boucles, puis il rattacha ce harnais par une longue corde à un solide traîneau de bois. Les deux autres chiens étaient attachés eux aussi par des cordes de longueur différente. Buck était devenu trop prudent pour se révolter ouvertement ; il accepta donc passivement ce nouvel emploi et fit de son mieux, malgré l'étrangeté de cet exercice. Derrière lui, Dave, chien de traîneau expérimenté, veillait jalousement et, à la moindre défaillance, mordait sauvagement l'arrière-train de Buck qui ne pouvait se retourner pour riposter, car le fouet manié par François venait chaque fois lui cingler la face. En tête, Spitz remplissait le rôle de chef d'attelage, grognant des reproches à la moindre faute, et pesant de tout son poids dans les harnais pour faire prendre au traîneau la bonne direction. Grâce aux corrections de ses deux camarades, au fouet de François et à une grande dose de bonne volonté, Buck fit des progrès rapides. Avant la fin de la première journée, il avait appris à s'arrêter à « Ho ! » et à repartir à « Mush ! ». Il savait comment éviter le traîneau dans les descentes ou les tournants, bref, François était très satisfait.

« Vous avez fait de bons achats, dit-il à Perrault. Le gros Buck n'a pas l'air de savoir grand-chose, mais il tire comme une brute et il apprend vite. Les deux autres sont excellents. Nous sommes partis pour avoir un fameux attelage ! »

Ce même après-midi, Perrault ramena deux autres chiens d'aspect solide, Billie et Joe. Ils étaient de la même mère mais ne se ressemblaient en rien. Billie était un brave chien paisible et amical, plutôt poltron et geignard, tandis que Joe était hargneux au possible. Buck fit rapidement amitié avec Billie, un peu moins vite avec Joe. Dave les ignora, selon son habitude, et Spitz entreprit de leur flanquer une raclée à tour de rôle pour passer le temps. Avec Billie, il n'eut pas grand mal. Le pauvre chien essaya de remuer la queue, de prouver ses intentions amicales, puis déguerpit en sentant les crocs de Spitz lui labourer l'épaule. Mais, pour Joe, Spitz ne put le trouver en défaut ; de quelque côté qu'il l'attaquât, il trouvait toujours devant lui une gueule ouverte et menaçante et une épaule hérissée. Les oreilles pointées en arrière, l'œil mauvais, Joe grognait sourdement, n'attaquant pas, mais visiblement prêt à vendre chèrement sa peau. Spitz n'insista guère et, pour masquer une retraite prudente, donna le change en poursuivant interminablement un Billie hurlant et terrifié à travers tout le camp et au-delà.

Le soir, Perrault ramena encore un chien, un vieux husky indigène, à demi sauvage, maigre, avec une allure oblique de loup et de nombreuses cicatrices sur le corps. Il n'avait qu'un œil, mais un œil plein de vaillance et de courage, et, lorsqu'il arriva au milieu des autres chiens d'un petit trot tranquille, flairant chacun de ses nouveaux camarades, l'insupportable Spitz ne tenta même pas de lui chercher noise. Ce nouveau chien s'appelait Sol-Lek, ce qui veut dire, en indien, « le Mécontent ». Comme Dave, il ne demandait rien à personne et ne tolérait pas de familiarités. Les autres chiens comprirent vite que Sol-Lek n'aimait pas à être approché du côté où il n'y voyait pas. Buck en fit l'expérience le soir même, se retrouva l'épaule entamée sur trois centimètres, et se le tint pour dit. Il évita dès lors soigneusement de répéter cette offense et tous deux restèrent bons amis.

Ce premier soir, un grave problème se posa à Buck. Où dormait-on, et comment, dans ce pays de neige ? La nuit venue, la tente, éclairée de l'intérieur, brillait d'un éclat tiède et réconfortant. Buck y entra tout naturellement se mettre à l'abri. Il en ressortit un instant plus tard comme une fusée, poursuivi par les jurons de Perrault et de François et par une grêle de projectiles variés. Consterné, il se mit à errer aux alentours de la tente, piétinant dans la neige. La blessure infligée par Sol-Lek à son épaule le faisait terriblement souffrir, car un vent glacé s'était levé avec la nuit, arrachant des tourbillons de neige qui s'en allaient rouler sur l'étendue blanche. Il tenta de se coucher sur cette neige à l'abri de la tente, mais le froid glacial le fit bientôt se relever. Comme il trottinait ainsi mélancoliquement autour de la tente, des chiens indigènes vinrent une ou deux fois lui offrir la bataille. Comme il avait vite remarqué l'attitude à prendre en ce cas, un grondement accompagné d'un hérissement du cou tint les ennemis en respect, et, impressionnés par sa taille, ils le laissèrent tranquille. Cependant, cela ne résolvait pas le problème.

Aucun des autres chiens n'était plus visible. Buck se mit à leur recherche. Il parcourut tout le camp, en vain, pour revenir à son point de départ, fit le tour de la tente où les autres chiens ne pouvaient pas être puisqu'on l'en avait lui-même chassé. Il se sentait très malheureux.

Et, brusquement, la neige céda sous son poids et il dégringola au fond d'un trou où s'agitait quelque chose de chaud. D'un bond, il sauta en arrière, grondant et hérissant son poil : un petit jappement amical lui répondit. Précautionneusement, il se rapprocha et découvrit, roulé en boule sous la neige, Billie, qui, pour montrer sa bonne volonté, se mit sur le dos, en signe de soumission. Un chien sur le dos offre en effet à son adversaire ses parties les plus vulnérables sans défense. Le pacifique Billie alla même jusqu'à lécher le museau de Buck.

Buck le laissa dormir, mais l'exemple n'était pas donné en vain. Buck avait compris comment se coucher. Il lui fallut beaucoup d'efforts pour fouir un trou à peu près acceptable dans la neige sans la faire ébouler, mais, enfin, il y parvint tant bien que mal, et en un instant la chaleur de son corps avait rempli cette espèce de niche. Buck s'endormit du sommeil du juste.

Le matin lui réservait une nouvelle épreuve. Buck entendait les bruits du camp tout autour de lui, mais il était tombé de la neige au cours de la nuit, en sorte que l'ouverture du trou était bouchée et qu'il n'y avait plus de sortie ! Des générations d'ancêtres domestiqués lui avaient désappris les pièges, humains ou naturels ; mais, se voyant enfermé par ce mur blanc et glacé, ce vague instinct ancestral le submergea et il fit un effort gigantesque pour briser cet inconnu. Il se mit sur pied d'un bond, avec un grondement terrible, prêt à mordre, ce qui fit qu'il jaillit de la neige au milieu des éclats de rire des hommes. La neige ne devait pas avoir plus de quelques centimètres d'épaisseur. François riait à gorge déployée de la mine penaude de ce grand chien, interdit de se retrouver si facilement à l'air libre.

« Qu'est-ce que je disais ? cria-t-il à Perrault, ce Buck apprend vite ! Il a déjà appris comment dormir, il lui reste à apprendre comment se réveiller ! »

Perrault hocha gravement la tête, intérieurement

content. Il était de plus en plus satisfait de l'achat de Buck, sur lequel il commençait à fonder de grands espoirs. Car Perrault était courrier du gouvernement canadien. Or, c'est sur sa plus ou moins grande rapidité que réside la réputation d'un courrier, et cette rapidité dépend en grande partie de son attelage. Perrault partit donc en sifflotant.

Une heure plus tard, trois nouveaux chiens firent leur arrivée, choisis avec soin par le courrier. Ils étaient désormais au nombre de neuf.

Le traîneau fut attelé et, un quart d'heure plus tard, l'attelage filait sur la neige en direction de Dyea Canyon.

Buck ne trouva pas ce travail méprisable, quoique dur. Il fut bientôt entraîné par l'ardeur que manifestaient ses compagnons. Et ce qui le frappa le plus, ce fut l'activité incroyable que déployaient tout à coup Dave et Sol-Lek. Autant ils étaient indifférents, réservés, voire endormis, autant le harnais les transformait. Ils semblaient enthousiasmés par ce travail, couraient, veillaient à tout, irrités au moindre ralentissement, furieux au moindre désordre. C'est une chose que l'on a souvent remarquée ; certains chiens éprouvent une réelle passion à tirer le traîneau et, véritablement, ne vivent que pour cela.

François avait intentionnellement placé Buck entre Dave et Sol-Lek, deux maîtres qui ne laissèrent pas chômer l'éducation du débutant confié à leurs soins, appuyant leurs leçons de solides coups de crocs. Buck avait évidemment encore beaucoup à apprendre, ce qui fit qu'il reçut beaucoup de coups de crocs, et, comme le long fouet de cuir de François venait toujours renforcer cette sanction apportée à ses erreurs, Buck estima préférable de se corriger plutôt que de se rebeller. Excellente résolution, mais qui n'alla pas sans quelques difficultés d'exécution. A une halte, par exemple, Buck emmêla ses traits et s'empêtra si bien dedans que le départ fut retardé et qu'il s'ensuivit une certaine confusion. Furieux, Dave et Sol-Lek lui tombèrent dessus chacun de son côté. Il n'en résulta qu'une confusion plus grande encore, et François dut rétablir l'ordre avec vigueur. Buck se garda désormais d'emmêler ses traits.

A la halte du soir, Buck avait à peu près compris son travail, le fouet de François claquait moins souvent et ses deux camarades ne le corrigeaient presque plus. Les deux hommes étaient enchantés, et Perrault fit à Buck l'honneur de lui examiner longuement les pattes avant de se coucher.

Toute cette journée-là, l'attelage avait franchi des bois et des glaciers, passant des crevasses sur des amas de neige de plusieurs centaines de pieds d'épaisseur, et avait ainsi descendu la chaîne de lacs qui, passé la Chilcoot Divide, marque le vrai début du Grand Nord.

La soirée était déjà avancée lorsque l'attelage arriva à l'étape. C'était le camp dressé à l'extrémité du lac Bennet, où des milliers d'hommes s'activaient, presque tous des chercheurs d'or occupés à construire des pirogues en attendant la fonte des neiges. Comme la veille, Buck fit son trou dans la neige et s'endormit, éreinté par cette course inhabituelle.

CHAPITRE III

Le lendemain, il faisait encore nuit noire lorsque l'attelage repartit.

Ce jour-là, on fit quarante miles. La route était facile, car beaucoup d'attelages passaient par là, la neige était durcie et tassée et le traîneau filait comme le vent.

Mais les jours suivants, on avança moins vite. La piste était à faire et le traîneau était dur à tirer dans la neige molle.

La plupart du temps, Perrault se tenait en tête de l'attelage, tassant la neige sous ses raquettes, tandis que François maintenait la barre du traîneau. Ils ne changeaient que rarement de poste. Perrault – et le gouvernement canadien avec lui – était pressé. Il possédait une science profonde de la glace, science plus que nécessaire, car la couche de glace était peu épaisse sur les cours d'eau et crevait facilement.

Combien n'a-t-on pas vu d'attelages disparaître sous la croûte glacée, et se noyer, hommes et chiens !

Les jours succédaient aux jours. On partait toujours à la première aube et, quand l'aurore paraissait, on avait déjà couru bien des miles. On ne s'arrêtait généralement qu'à nuit noire. Les chiens recevaient alors leur ration de saumon séché avant de se coucher. Chaque chien en recevait une livre et demie par jour. Buck aimait bien le poisson, mais, pour un animal de sa taille, c'était peu, et il avait toujours faim. Les autres chiens, plus petits que lui, se contentaient de cette nourriture à laquelle ils étaient habitués depuis toujours, et ne semblaient pas en souffrir. Il est vrai qu'ils se précipitaient sans attendre sur la portion du voisin s'ils avaient fini avant lui. Buck apprit donc bien vite à dévorer son poisson au lieu de le savourer à plaisir. Il n'hésita pas non plus à imiter ses compagnons et à profiter de la part des lambins, voire à s'emparer purement et simplement du bien d'autrui.

Lorsqu'il eut vu Pike voler un morceau de jambon sans que Perrault ni François n'y prissent garde, il s'empressa de l'imiter et perfectionna même le système en emportant le restant entier du jambon. Bien entendu, les deux hommes s'en aperçurent, mais Buck avait si habilement opéré que les soupçons se portèrent sur son malheureux camarade, Dub, lequel reçut une sévère correction pour une faute qu'il n'avait pas commise. Le pauvre Dub, peu malin, payait toujours pour les autres.

Buck perdait ainsi en moralité ce qu'il gagnait en ruse. Il est vrai que s'il se mit à voler avec adresse, ce fut poussé par la faim et parce que, dans ce pays, on ne respectait que la loi du plus fort. La moralité y était donc plutôt chose nuisible.

Physiquement, son aspect changea également quelque peu. Il s'endurcit à la douleur, au bâton ou à la dent. Ses muscles prirent la résistance de l'acier, son poil s'épaissit. Il put avaler sans inconvénient les bêtes mortes les plus faisandées, les charognes les plus répugnantes, supporter des fatigues qui en eussent tué un autre, et son ouïe, surtout, devint d'une sensibilité extraordinaire. En plein sommeil, il reconnaissait le moindre bruit, et s'il était ami ou ennemi. Il apprit à arracher d'un coup de mâchoire la glace qui s'attachait à ses jambes, à casser avec les pattes de devant, en se dressant de toute sa hauteur pour retomber dessus de tout son poids, la glace qui le séparait de l'eau et boire dans le trou ainsi formé. Surtout, une forme d'instinct particulière se réveilla en lui : il savait prévoir le vent un jour à l'avance et, quelle que fût sa direction à la halte, le matin trouvait le grand chien confortablement abrité dans son trou de neige, le dos à la bise.

Il sut bientôt se battre comme à la façon des loups, attaquer d'un bond, mordre et rebondir en arrière. On ne l'attaqua plus guère.

Et quand, avec les autres chiens, lors des nuits scintillantes et glacées, il tendait le cou vers la lune blafarde et hurlait longuement, c'étaient les ancêtres oubliés, les meutes sauvages aux os depuis longtemps blanchis qui revivaient dans ces longues plaintes sinistres aux modulations interminables.

Singuliers effets sur un esprit de chien de la découverte d'un métal jaune et lourd par des hommes à demi nomades dans des solitudes glacées, et de la passion nourrie pour la loterie chinoise par un aide-jardinier d'origine mexicaine.

Pourtant, si les instincts ataviques du gigantesque Buck revenaient lentement à la surface, c'était peu à peu et sans manifestations excessives. Il évitait les bagarres entre chiens et, de fait, nul n'aurait pu soupçonner la haine silencieuse mais totale que Buck nourrissait maintenant pour son camarade Spitz.

Pour sa part, Spitz redoutait sourdement Buck, et ne manquait aucune occasion de le provoquer, pour un combat peut-être aléatoire mais, à coup sûr, définitif. Il faillit y réussir un soir, au début du voyage.

Le camp avait été dressé, ce soir-là, sur les bords du lac La Barge. Un vent coupant qui s'était levé, soulevant des tourbillons de neige dans la nuit, avait contraint les deux hommes à s'arrêter là où ils se trouvaient. L'endroit était détestable, pris entre le lac et une falaise de rochers. Il fallut allumer le feu de branches mortes à la surface même du lac gelé, en sorte que la chaleur du brasier fit bientôt fondre la glace et que les deux hommes n'eurent que le temps de dégeler les poissons et de faire chauffer leur soupe qu'ils mangèrent dans l'obscurité.

Buck avait déjà creusé son trou dans la neige au pied des rocs lorsque François vint distribuer le dîner. Harassé, il quitta à regret son trou, avala son poisson et, revenant à son nid, le trouva occupé. Un grondement menaçant lui apprit que le voleur était Spitz. Devant cette offense inqualifiable, la fureur de Buck s'alluma d'un seul coup avec une violence de bête fauve, ce qui ébahit Spitz, habitué à considérer le grand chien comme un animal peu combatif et dont la supériorité provenait surtout de sa taille et de son poids considérables. François aussi fut surpris de cette violence et accourut. En voyant les deux animaux aux prises dans un seul trou, il comprit rapidement l'affaire :

« Vas-y, vieux Buck, cria-t-il, cogne-le, ce voleur ! »

Les deux chiens, hérissés et les dents menaçantes, la tête basse, tournaient l'un autour de l'autre en grondant, guettant le moment favorable pour attaquer, lorsque tout à coup un cri et un juron de Perrault, suivis du bruit sec d'un gourdin sur une échine et d'un jappement de douleur, provoquèrent soudain une épouvantable confusion.

Pendant que Buck et Spitz se mesuraient, un grand nombre de chiens indigènes affamés, une soixantaine peut-être, avaient profité de l'inattention générale pour s'introduire dans le camp. Sans doute venaient-ils d'un village indien du voisinage. Peut-être était-ce une meute sauvage ? Toujours est-il que Perrault, se retournant brusquement, aperçut l'un des étrangers la tête entièrement plongée dans le sac à provisions.

D'un moulinet violent, il abattit son gourdin sur l'échine offerte, et le chien en s'enfuyant brusquement fit tomber poissons, pain, jambon, tout enfin, sur la neige. Les autres maraudeurs, squelettes affamés et affolés par l'odeur de la nourriture, tinrent tête avec rage et, sous les coups qui pleuvaient, continuaient à se disputer les dernières bribes de nourriture, tout en hurlant et en grondant. Au bruit, les chiens de l'attelage jaillirent instantanément de leur trou et vinrent attaquer les étrangers, qui se défendirent en véritables fauves qu'ils étaient. Jamais Buck n'avait vu d'animaux semblables, au cuir adhérant à l'os, à l'œil sanglant et aux gueules baveuses, qui se battaient avec démence.

En un instant, les chiens de l'attelage étaient repoussés vers les rochers et assaillis de toutes parts. Buck, quant à lui, n'en avait pas moins de trois à combattre en même temps, et en quelques minutes ses épaules et sa tête étaient ensanglantées. Le doux Billie gémissait selon son habitude, mais Dave et Sol-Lek combattaient côte à côte avec une résolution farouche, les oreilles déchirées et saignantes. Des autres, l'irascible Joe faisait du bon travail et cherchait à mordre aux pattes plutôt qu'au cou : plusieurs fois, on entendit les os craquer sous ses mâchoires. Pike, le râleur, acheva un blessé en lui cassant les reins, et Buck, voyant dans la mêlée une gorge offerte, y enfonça ses terribles crocs. Le goût du sang le surexcita immédiatement et il se jetait sur un nouvel ennemi lorsqu'il se sentit attaqué de flanc. Ce n'était autre que Spitz qui le prenait en traître, profitant de la situation. Mais heureusement, Perrault et François ayant libéré le camp arrivaient à la rescousse au même moment, en sorte que Buck fut rapidement délivré. Pourtant, les chiens indigènes revenaient déjà à l'assaut du camp et cette fois, s'ils étaient diminués en nombre, ils étaient si désespérés et si féroces que Billie, terrifié, lâcha pied et, forçant le cercle d'ennemis, s'enfuit droit devant lui sur la glace, sans souci du danger. Pike et Dub le suivirent aussitôt, puis le reste de l'attelage se débanda à son tour. Buck suivit.

Chacun s'enfuit pour son compte. Plus tard, tous se cherchèrent et, bientôt, les neuf chiens réunis trouvèrent abri dans la forêt. Tous étaient blessés, quelques-uns grièvement. Dub avait une grave morsure à une jambe de derrière ; le dernier chien acheté à Dyea, Dolly, avait une plaie profonde au cou, Joe avait perdu un œil, et le malheureux Billie, qui avait eu l'oreille gauche arrachée et dévorée sur place, ne cessa de pleurer et de gémir jusqu'à l'aube.

Au matin, l'attelage regagna le camp clopin-clopant. Les assaillants étaient partis, mais la moitié des provisions était perdue et les deux hommes étaient d'une humeur exécrable.

Les chiens indigènes avaient dévoré tout ce qui était mangeable, des courroies de cuir du traîneau et de ses bâches jusqu'à des morceaux de harnais et une partie de la lanière du fouet de François, en passant par une paire de mocassins de buffle appartenant à Perrault.

Le métis accueillit le retour des chiens avec consternation. Il examina attentivement leurs blessures et hocha la tête :

« Qu'en pensez-vous, Perrault ? J'espère qu'ils ne vont pas attraper la rage ! Ce serait la fin de tout ! »

Perrault était extrêmement soucieux. Les craintes

de François n'étaient pas sans fondement, et il y avait encore quatre cents miles jusqu'à Dawson !

Il fallut plus de deux heures d'efforts et de jurons aux deux hommes pour réorganiser l'attelage. Les chiens, endoloris, boiteux et raidis par leurs blessures, allaient avoir à affronter la partie la plus difficile du trajet.

La rivière de Thirty Mile, en effet, était trop rapide pour être véritablement prise par les glaces, la croûte gelée n'y était à peu près solide que dans les petites anses ou les endroits calmes. Bref, il ne leur fallut pas moins de six jours pour venir à bout de ces trente miles. Perrault marchait devant et sentait souvent la glace fléchir sous son poids. Plusieurs fois, même, il creva la croûte gelée et ne dut la vie qu'au long bâton qu'il portait prudemment en travers des épaules et qui lui fournissait un point d'appui de dernier recours. La température était terrible, il faisait chaque nuit cinquante degrés au-dessous de zéro, et, à chaque accident de ce genre, Perrault devait allumer un feu pour sécher ses vêtements alourdis et raides de glace.

Mais il allait toujours de l'avant, jamais découragé, toujours vaillant, et progressait opiniâtrement vers son but. On comprenait pourquoi le gouvernement canadien plaçait en lui une confiance aussi absolue. Philosophe, il séchait ses vêtements et repartait, avec sa petite figure plissée et brune, d'ailleurs merveilleusement secondé par François, dont la force herculéenne faisait merveille dans les cas difficiles.

Une fois, ce fut le traîneau tout entier qui creva la glace. Lorsque François parvint à les retirer de l'eau,

Buck et Dave étaient à demi gelés et presque noyés. Il fallut encore allumer un feu pour fondre la carapace de glace qui les recouvrait. Les deux hommes les firent mettre si près du feu que leur fourrure grésillait en dégelant. Une autre fois, ce fut Spitz, le chien de tête, qui s'enfonça suivi de ceux qui étaient derrière lui. Les efforts inouïs du reste de l'attelage et de François arc-bouté à l'arrière à s'en briser les tendons empêchèrent seuls la catastrophe.

Puis, la glace se rompit tout à fait, quelques jours plus tard, et la seule solution fut cette fois d'escalader la falaise. Les deux hommes y parvinrent au prix d'un travail harassant. Il fallut réunir bout à bout toutes les courroies du traîneau, pour en faire une longue lanière qui servit à hisser en haut des roches chaque chien l'un après l'autre, avant de hisser le traîneau lui-même, puis les bagages. Ensuite, il fallut trouver un endroit favorable pour répéter l'opération en sens inverse et redescendre sur le fleuve. A la nuit tombée, la caravane était à un kilomètre de son point de départ du matin.

A Hootalinka, la glace était plus résistante. L'attelage était à peu près mort de fatigue, mais Perrault, inflexible, en exigea un effort supplémentaire pour réparer le temps perdu.

On partit plus tôt, on s'arrêta plus tard. On fit trente-cinq miles en une seule étape, jusqu'au Big Salmon, puis, le lendemain, trente.

Pour Buck, les choses allaient mal. Ses pattes étaient loin d'être aussi endurcies que celles de ses camarades et les coussinets en étaient à vif. Il courait bravement tout en boitillant et souffrait le martyre. A la halte, le soir, il se laissait tomber comme une masse, incapable de bouger, sans même avoir la force de venir chercher sa ration de poisson sec que François était obligé de venir lui apporter. Inquiet, le métis avait pris l'habitude de lui frictionner un long moment les pattes, tous les soirs, après dîner. Il finit même par sacrifier des mocassins de cuir pour en faire au chien quatre espèces de bottillons. Buck en éprouva un grand soulagement, et, plusieurs fois, à la halte, Perrault se tordit de rire en voyant Buck, que l'on avait oublié de déchausser, se coucher sur le dos en agitant les pattes d'un air piteux en attendant qu'on vienne le délivrer.

Puis, à la longue, les pattes de Buck s'endurcirent comme le reste et les bottes tombées en lambeaux ne furent pas remplacées.

Un matin – on était à Pelly – un terrible événement secoua la communauté. Dolly donna brusquement des symptômes de rage.

Elle se mit tout à coup à hurler, sans raison, la bave aux lèvres. Un hurlement aigu, d'une angoisse intense, qui fit hérisser le poil de tous les chiens et donna la chair de poule aux deux hommes pourtant endurcis. Buck n'avait jamais vu de cas de rage, mais l'instinct le fit immédiatement s'écarter, puis déguerpir comme une flèche lorsque Dolly se précipita sur lui, écumante.

En proie à un affolement total, il filait vertigineusement sur l'étendue glacée sans parvenir à distancer la bête hurlante lancée à ses trousses. De bras de rivière gelée en île déserte et glacée, ils firent ainsi un immense tour à travers bois, poursuivis par les appels pressants de François. Ses cris finirent par frapper Buck, qui revint vers lui par une grande boucle sur la neige. Son cœur battait à rompre et il était à la limite de ses forces, obéissant sans savoir ce qui allait se passer, mais plein de confiance en la sagesse et la science des maîtres. François attendait de pied ferme, tenant solidement sa hache. Buck devina plutôt qu'il ne vit, avant de s'effondrer sur la neige, suffoquant, l'éclair brillant de l'acier fracasser au passage le crâne de la chienne enragée.

Ce fut le moment que choisit Spitz pour l'attaquer. Les dents de cet abominable animal étaient déjà enfoncées jusqu'à l'os dans l'épaule de Buck lorsque François arriva à son secours, précédé de la lanière cinglante de son fouet. Épuisé et incapable de se défendre, Buck eut au moins la satisfaction de voir Spitz recevoir l'une des plus belles corrections de sa vie.

Au dîner, les deux hommes avaient l'air soucieux, ce soir-là.

« Ce Spitz est véritablement le diable incarné, dit Perrault en bourrant sa pipe, tandis que François versait du café. Si cela continue, il finira par nous tuer Buck par un coup de traître, selon son habitude.

– Si vous voulez mon avis, dit François, Buck vaut bien deux Spitz à lui tout seul. Un de ces quatre matins, Buck se fâchera pour de bon et nous retrouverons Spitz en petits morceaux sur la neige !

– Peut-être as-tu raison, répondit Perrault pensif,

mais tout cela est bien désagréable, et ces haines ne valent rien pour un attelage. »

De fait, la guerre fut désormais ouverte entre les deux animaux. Spitz, fier de son rôle de chef de file et de guide d'attelage, sentait son autorité sérieusement battue en brèche par cet énorme chien du Sud, si peu semblable aux autres.

Buck semblait supporter sans en souffrir les pires fatigues et les plus grandes privations, il s'aguerrissait de jour en jour et rivalisait maintenant de force, d'astuce et d'endurance avec les chiens du Nord. Sa férocité libérée n'avait d'égale que sa patience, exactement comme les loups sauvages.

Et Buck commençait maintenant à rechercher la bataille contre Spitz. Buck avait en effet été saisi à son tour par cette étrange passion du traîneau dont nous avons parlé, de cet amour incompréhensible de l'attelage qui pousse certains chiens à tirer le traîneau jusqu'à l'épuisement et à mourir d'ennui, parfois, s'ils en sont privés. Sans aller jusqu'à la passion de Dave ou de Sol-Lek, qui transformait ces bêtes moroses et renfermées en animaux actifs, intelligents et joyeux, Buck, conscient de sa force et naturellement dominateur, voulait tout simplement la place de Spitz. Et Spitz, lui aussi chef dans l'âme, combattait instinctivement mais violemment tout ce qui, de près ou loin, pouvait porter atteinte à son autorité jusque-là incontestée.

Les choses en vinrent au point que Buck se mit à bafouer ouvertement l'autorité de Spitz sur les autres chiens de l'attelage et même à les défendre lorsque le chef voulait les punir à juste titre.

Ainsi, un matin, Pike ne parut pas. Il était tombé une grande quantité de neige durant la nuit et François le cherchait dans tout le camp en l'appelant, sans le trouver. Spitz était furieux contre le retardataire et grattait partout en flairant et en grondant. Ses grondements étaient si menaçants que Pike, dans son trou de neige, tremblait sans oser en sortir. Lorsque, enfin, on le découvrit, Spitz sauta sur lui pour lui apprendre la paresse. Ce fut le moment que choisit Buck pour s'interposer. Son coup d'épaule fut si violent et si inattendu que Spitz roula à terre. Pike, jusque-là terrifié, se retrouva du coup plein de courage et fondit sur son chef renversé, toutes dents dehors.

La vérité oblige à dire que Buck n'hésita pas une seconde à se joindre à lui et attaqua Spitz avec violence.

Heureusement, François, toujours juste, veillait, et il intervint à la seconde même à grand renfort de fouet. Mais il lui fallut employer le manche et non la lanière pour forcer Buck à lâcher prise. Buck reçut à cette occasion une raclée mémorable. Quant à Spitz, il se chargea tout seul d'expliquer à Pike en détail comment le respect et l'obéissance formaient la force principale des attelages.

Les jours qui suivirent furent extrêmement fatigants pour les deux hommes, qui devaient veiller sans cesse à prévenir ou arrêter les bagarres car, forts de l'appui de Buck, les autres chiens se mutinaient de plus en plus. Seuls, Dave et Sol-Lek restaient disciplinés, exclusivement intéressés par leur besogne. François devait se relever la nuit pour s'assurer plusieurs fois que tout se passait bien, voire intervenir. Enfin, sa surveillance fut si assidue que ce duel à mort que tout le monde attendait n'eut pas l'occasion de se produire et que l'on arriva enfin à Dawson sans avoir vidé la question. Tous, hommes et chiens, étaient d'ailleurs épuisés.

Dawson était une bourgade, sans doute, mais, après les étendues désertes et sauvages que tous venaient de traverser, elle semblait une ville immense. Tout le jour, les attelages de chiens sillonnaient la grand-rue, traînant des chargements de bois, bois de charpente ou bois de chauffage, de produits miniers, de vivres, de marchandises, enfin tout ce que dans les pays du Sud l'on est accoutumé de voir traîné par les chevaux. Bien avant dans la nuit, les clochettes des attelages résonnaient encore. Il y avait à Dawson quelques chiens du Sud, certes, mais l'immense majorité était formée de chiens indigènes, la plupart croisés de loup.

Toutes les nuits, et plusieurs fois par nuit, lorsque l'aurore boréale déployait ses immenses draperies ondoyantes et silencieuses dans le ciel glacé, que les étoiles brillaient d'un éclat bleu et froid, tous ces chiens entonnaient en chœur la longue plainte étrange et lugubre, et Buck se joignait à ce chœur fantastique avec une ardeur et une ivresse étranges.

Par-delà des siècles de domestication, de vie commune avec les hommes, les ancêtres oubliés de la grande forêt primitive revivaient dans le hurlement de leur descendant, et Buck, inconsciemment, se sentait frère de ces demi-loups, de ces chiens à peu près fauves que les hommes ne mataient qu'à coups de gourdin. Hurlant à plein gosier, il franchissait les siècles et revenait aux origines mêmes du monde. Le Sud était vraiment bien loin.

Mais, après une semaine de repos, il fallut repartir.

Perrault semblait pris à son tour par la frénésie du voyage.

Il emportait cette fois des dépêches fort importantes pour Dyea et Salt Water, et brûlait du désir de battre le record de rapidité établi sur ce parcours.

Le moment était d'ailleurs bien choisi. Les chiens étaient reposés, la piste était ferme et bien battue par de nombreux passages de traîneaux, le bagage était léger et peu encombrant. De plus, la police fédérale avait établi sur le parcours plusieurs dépôts de vivres pour les hommes et pour les chiens. Les conditions étaient idéales.

Passées les pentes raides des monts Barracks, qui bordent la vallée du Yukon, ils firent soixante miles d'une traite le premier jour, les fameux Sixty Miles. Le lendemain, ils franchissaient le grand fleuve et laissaient le Yukon derrière eux.

Mais cette vitesse stupéfiante ne fut pas obtenue sans beaucoup de peine de la part des deux hommes. La rivalité ouverte qui régnait maintenant entre Buck et Spitz avait nui à l'esprit d'équipe de l'attelage. Spitz n'était plus reconnu comme un chef indiscuté et son autorité était sans cesse battue en brèche.

Un soir, Pike lui vola un demi-poisson et le dévora sous l'œil approbateur de Buck. Dub et Joe l'attaquèrent et le rossèrent. Le doux Billie lui-même lui montrait les dents, prêt à décamper, d'ailleurs. Buck, pour sa part, se montrait franchement haïssable avec le chef de l'attelage, lui cherchant querelle sans cesse, fort de sa supériorité en poids et en taille.

Par contagion, les autres chiens se montraient également querelleurs entre eux et se battaient sans cesse. François avait beau s'étrangler à force de hurler tous les jurons connus en canadien français – ce qui forme un total assez respectable –, s'arracher les cheveux et user son fouet sur les côtes de ses chiens, à peine avait-il le dos tourné que les bagarres recommençaient.

Le métis se doutait bien de l'origine de tout ce désordre et surveillait Buck de près. Mais le grand chien était devenu trop rusé pour se faire prendre sur le fait. Il travaillait dur, d'ailleurs, avec passion, mais son plus grand plaisir était devenu d'attiser la haine de ses camarades contre Spitz et de les exciter les uns contre les autres.

On arriva ainsi tant bien que mal à l'embouchure de la Takhena. Ce soir-là, après le repas, Dub leva un lapin des neiges et le manqua. Toute la meute bondit à sa poursuite, d'un seul mouvement. Cent mètres plus loin, une troupe de chiens indiens se joignit à la chasse. Devant, le lapin filait sur la neige, léger comme une plume, marquant à peine la surface vierge. Derrière, la meute déchaînée bondissait sans relâche, plus lourdement, dans un hourvari d'appels et d'abois rageurs.

Le lapin, affolé et luttant pour sa vie, commença par suivre le cours de la rivière gelée avant d'obliquer dans le lit d'un ruisseau qu'il remonta à une vitesse foudroyante.

En tête de la meute des poursuivants se détachait la haute silhouette de Buck, spectrale sous la lueur pâle de la lune. L'instinct de la chasse, cet instinct qui transparaît encore bien abâtardi chez l'homme lorsqu'il siffle son chien en septembre, décroche son fusil et s'en va arpenter la plaine pour tuer des lièvres ou des perdreaux à l'aide de grains de plomb, cet instinct, Buck en était tout entier la proie. Mais avec quelle force, quelle puissance ! Ce qui n'est chez l'homme qu'un vague goût un peu archaïque était à cet instant chez Buck un besoin capital, impérieux, absolu, celui de plonger ses crocs dans une chair vivante, de sentir le sang brûlant inonder sa gorge, de sentir ses babines se poisser du liquide épais, salé et fumant. C'était l'unique appel de la vie: rattraper cette forme blanche et légère qui bondissait fantastiquement devant lui.

Puis, à un moment donné, Spitz, le méthodique et calculateur Spitz, quitta la chasse et prit à travers bois. Comment avait-il su que le ruisseau que l'on suivait à cette allure insensée formait une courbe capricieuse en longeant une langue de rochers ? Toujours est-il que Buck, qui n'avait pas pris garde à la disparition de Spitz, n'était plus qu'à quelques mètres du lapin quand une forme claire bondit soudain de haut sur le gibier et lui brisa les reins d'un coup de dents. Le lapin poussa un cri suraigu, déchirant, et mourut. Derrière, la meute poussa un hurlement de joie en réponse à ce cri de mort.

Seul Buck ne se joignit pas au concert. Et, sans arrêter son élan, il fonça droit sur Spitz qu'il heurta si violemment de l'épaule que tous deux roulèrent confondus dans la neige rougie de sang. Spitz se releva d'un bond, mordit sauvagement Buck et se retrouva en garde d'un saut en arrière. Une seconde plus tard, il frappait de nouveau, avec un bond formidable, visant la gorge et se remettant en défense.

Cette fois, l'heure du combat à mort avait sonné.

Attentifs, les autres chiens firent cercle. Leur haleine montait toute droite dans l'air glacé, et, de temps en temps, ils passaient leur longue langue rouge sur leurs babines retroussées.

Tandis que, le col hérissé, la mâchoire basse, prêts au combat, les deux grands chiens tournaient lentement l'un autour de l'autre, guettant le moment favorable à l'attaque, Buck eut comme un vague souvenir de scène familière, de quelque chose de déjà vu. Il crut reconnaître ce paysage neigeux, ces arbres blancs, ce cercle attentif et la bataille elle-même. Cela ne dura qu'un instant. Le silence était absolu. Sous la clarté de la lune, la neige semblait aussi claire qu'en plein jour.

La bataille allait être rude. Spitz était un vétéran aussi courageux qu'expérimenté. De son lointain Spitzberg natal jusqu'aux pistes du Grand Nord canadien, il avait livré maintes batailles, et s'il était encore en vie, c'est qu'il avait été le plus fort, le plus rusé, le plus féroce. Froid et calculateur, il se gardait de combattre à la hâte, de façon désordonnée. Il attaquait rarement le premier, préférant à la charge furieuse l'esquive rapide et la riposte foudroyante. Sa frénésie de sentir le sang chaud de l'ennemi couler sur sa langue ne lui faisait jamais oublier que l'adversaire était empli d'une rage semblable à la sienne.

Buck, pour sa part, ne connaissait plus qu'une chose : tuer Spitz.

Sa ruée haineuse était toujours vaine. Chaque fois, son attaque était parée. Les crocs qui visaient la gorge rencontraient toujours les crocs qui la défendaient.

Les mâchoires claquaient les unes contre les autres, les lèvres écrasées saignaient, mais Spitz restait invulnérable. Fou de fureur, Buck multiplia les assauts, attaquant de tous côtés comme un tourbillon, mais toujours Spitz esquivait et portait un coup de croc en riposte.

Au bout de quelques minutes, la tête et les épaules de Buck étaient en sang.

Buck changea alors de tactique. Il feignit de viser la gorge et, au dernier moment, rentrant soudain la tête, il essaya d'ébranler l'adversaire et de le bousculer de l'épaule, utilisant ainsi son poids supérieur. Cela lui valut une nouvelle blessure, tandis que Spitz bondissait légèrement de côté, l'œil mauvais, et toujours indemne.

La bataille approchait de sa fin; les chiens resserrèrent un peu le cercle qui enfermait les combattants.

Alors, ce fut à Spitz de prendre l'offensive. C'est lui qui se mit à bondir en tous sens, à attaquer de tous les côtés, tandis que Buck se défendait. Sous ces assauts répétés, le formidable chien en vint à chanceler. Quand il glissa et tomba, les soixante bêtes se dressèrent d'un même geste, croyant le combat fini.

Buck se releva cependant du même élan et le cercle attentif se rassit, résigné.

Cependant, Buck avait une qualité que Spitz n'avait pas. Buck avait de l'imagination. Il trouva une nouvelle tactique. Et, sur un nouvel assaut de Spitz qui sentait la victoire proche, Buck, au lieu de parer directement, baissa la tête et ses mâchoires se refermèrent sur la patte de Spitz. Les os craquèrent. Puis

Buck attaqua. Le grand chien du Spitzberg se défendait sur trois pattes. Buck renouvela sa manœuvre : la seconde patte avant craqua à son tour.

Cette fois, Spitz comprit que la fin arrivait. Il résistait avec rage à la douleur, parvenant à se tenir debout quand même à force d'énergie sauvage, mais il voyait autour de lui le cercle étincelant de prunelles dures se refermer et suivre ses mouvements avec une fixité qu'il connaissait bien. C'était à lui aujourd'hui, d'être la victime. Il n'avait aucune pitié à attendre de Buck.

L'assaut final était arrivé : le cercle des chiens se resserra encore. Buck les voyait derrière Spitz, impatients de la mise à mort. Il sentait leur haleine chaude sur ses flancs, percevait leur désir frémissant.

Il y eut un bref moment d'immobilité. Tous les chiens restaient silencieux tandis que Spitz, chancelant, hurlait.

Puis Buck fit un bond et heurta son ennemi de l'épaule.

La meute ne fit qu'un saut sur le vaincu renversé, ombre mouvante sur la neige.

Seul, Buck ne prit pas part au festin.

CHAPITRE IV

Le lendemain, naturellement, François et Perrault constatèrent l'absence de Spitz.

« Et voilà ! dit le métis en s'accroupissant près de Buck pour examiner ses blessures. Quand je vous disais qu'on retrouverait un matin Spitz en petits morceaux sur la neige !

– Cela ne paraît pas être allé tout seul, répondit Perrault en palpant avec précaution les pattes de Buck. Spitz semble s'être battu comme un diable enragé qu'il était !

– Et Buck comme tous les démons de l'enfer réunis. Il fallait que l'un des deux y reste. C'est bien ennuyeux, Spitz faisait un excellent guide d'attelage, mais enfin, nos ennuis vont peut-être cesser. Plus de Spitz, plus de bagarres dans la meute. »

En fait, si Perrault était assez fâché de la perte de

son chien de tête, il en était en même temps assez soulagé. Et, avec un soupir de résignation, il entreprit de lever le camp tandis que François sifflait les chiens pour les atteler.

Buck vint tout naturellement se placer au poste laissé vacant par le défunt Spitz, en tête.

François, qui en avait décidé autrement, l'écarta pour y atteler Sol-Lek, qu'il jugeait le plus adapté à cet emploi. Il n'en fallut pas davantage pour irriter Buck, qui sauta d'un bond sur le vieux borgne, le chassa vigoureusement et se remit à la même place.

« Ah ! Ah ! s'exclama François, voilà autre chose ! Maintenant que nous avons tué Spitz, nous voulons sa succession ? Allez, ôte-toi de là ! »

Mais Buck refusa de bouger.

François commençait à se fâcher. Il prit Buck sans ménagement par la peau du cou et, sans prendre garde à ses grognements menaçants, le jeta dans la neige. Puis il remit Sol-Lek dans les traits. Le vieux chien, pour sa part, ne tenait pas du tout à devoir s'imposer dans le rôle de chef face au formidable Buck dont l'attitude ne présageait rien de bon, et il se démenait avec vigueur dans les traits.

François ne voulut rien entendre. Mais, dès qu'il eut le dos tourné, Buck sauta derechef sur Sol-Lek, lequel ne fit aucune difficulté pour lui céder la place.

Cette fois, François vit rouge.

« Attends un peu, s'écria-t-il en allant chercher sur le traîneau une trique solide, je vais t'apprendre, moi ! »

La vue du bâton rappela instantanément à Buck l'homme au maillot rouge et son gourdin, aussi

n'essaya-t-il même pas de tenir tête. Il se mit à courir en grondant autour du traîneau, restant toujours soigneusement hors de portée et prêt à esquiver si François faisait mine de lancer son bâton. Les deux hommes commencèrent par atteler les autres chiens. Puis ils appelèrent Buck pour lui faire réintégrer sa place ordinaire, mais, au lieu d'obéir, Buck recula. François le suivit, menaçant; Buck recula encore.

Pensant que le chien avait peur des coups, François jeta son bâton et l'appela plus aimablement. Mais ce n'était nullement la crainte des coups qui jetait le grand terre-neuve en pleine révolte, ce qu'il voulait, c'était tout simplement la place de chef, place qu'il estimait lui être due, parce qu'il l'avait gagnée dans un combat à mort et qu'elle lui appartenait de droit.

Perrault vint à l'aide de François et les deux hommes passèrent de longs moments à courir sur la neige à la poursuite du chien qui restait toujours hors de portée et évitait les bâtons qu'ils lui lançaient. Les deux hommes étaient hors d'eux. Tout le répertoire d'injures et de jurons du Canada fut de nouveau passé en revue, mis à jour et même complété aux rares endroits où il se montrait peut-être un peu faible. En vain.

D'ailleurs, Buck n'essayait pas de s'enfuir, il tournait en rond autour du camp, montrant bien qu'il n'était pas un rebelle, mais simplement qu'il exigeait quelque chose.

Pendant ce temps, l'heure tournait. On avait bientôt perdu une heure; Perrault regardait sa montre avec rage.

Finalement, François s'assit dans la neige et se mit à se gratter la tête. Puis, il regarda Perrault dans les yeux, avec un geste d'impuissance des deux mains. Perrault hésita un moment, marchant de long en large, puis il haussa les épaules avec fatalisme. A y bien regarder, il avait peut-être aussi un quart de sourire en reconnaissant leur défaite.

François se leva et se dirigea vers Sol-Lek, appelant Buck de la voix. Buck regarda la scène avec beaucoup d'intérêt, remua la queue avec bonne humeur, mais n'avança pas d'un pouce.

Sol-Lek déplacé, l'attelage s'étendait sur une longue ligne, prêt à partir, excepté la place de tête qui était vide.

« Jette ton bâton, dit Perrault, il ne te croit pas ! »

François jeta son bâton et appela Buck. Alors le chien, d'un air triomphant, se leva et trotta de bon gré vers la place de chef.

Les harnais fixés, François fit claquer son fouet, les chiens raidirent les traits, la glace crissa sous les patins et le traîneau fila sur la neige. Les deux hommes prirent le pas de course, tassant la poudreuse sous leurs larges raquettes, et la caravane dévala vers la rivière gelée.

Au soir, Buck avait prouvé qu'il était digne de la place de chef. D'emblée, il avait imposé son autorité. L'attelage filait comme un seul chien. Les récalcitrants avaient rapidement été mis au pas. Le changement de chef n'avait troublé ni Sol-Lek ni Dave, tout entiers à leur passion, mais le reste de l'équipe, habitué depuis quelque temps à la contestation entretenue et protégée par Buck, ne voyait pas pourquoi il serait revenu à des habitudes plus disciplinées. Tous furent extrêmement étonnés de l'autorité subite de Buck. Pike, par exemple, qui était le second de la file et qui généralement ne tirait pas plus qu'il n'était besoin, plutôt moins, même, fut vertement remis en place, et se mit à travailler avec une énergie nouvelle. Joe, le grognon, essaya de désobéir : mal lui en prit. La méthode de Buck fut à son égard aussi simple qu'efficace. Il lui sauta tout bonnement dessus, l'écrasant de son poids, et le mordant sauvagement jusqu'à ce que Pike criât grâce. La qualité de l'attelage s'améliora à vue d'œil et l'allure moyenne fut de celles que l'on obtient rarement. François était ravi et Perrault se déridait peu à peu : dans les passages difficiles où le chien de tête doit faire montre non seulement de sang-froid mais aussi de jugement et de rapidité de décision, Buck dépassait sans conteste le défunt Spitz. Spitz avait pourtant été l'un des meilleurs chiens qu'ait connus François à cette place.

Aux rapides Rink, deux chiens du pays furent ajoutés à l'attelage, Teek et Koona. La rapidité avec laquelle Buck apprit aux nouveaux les règles élémentaires du respect laissa les deux hommes pantois.

« C'est insensé, proclamait François, je n'ai jamais vu un chien comme Buck ! Un animal tel que celui-là vaut mille dollars comme rien ! Vous ne trouvez pas, Perrault ? »

Perrault approuvait énergiquement, d'excellente humeur désormais. Non seulement le retard des jours précédents avait été rattrapé mais tous les soirs on prenait maintenant un peu d'avance sur le record précédemment établi. Disons également que les éléments y mettaient du leur, la piste restait bien battue, durcie à souhait et en excellent état, il ne neigeait pas et le froid restait égal et supportable. Le thermomètre resta à moins dix degrés tout le temps du voyage. Les deux hommes se relayaient, l'un se faisant traîner, l'autre courant, et les chiens galopaient à un train soutenu, avec de rares haltes.

La rivière de Thirty Miles était à peu près entièrement prise, en sorte que le trajet qui leur avait pris dix jours à l'aller fut couvert au retour en douze heures. La bonne humeur de Perrault allait croissant. On fit en une seule traite les soixante miles qui séparent le lac La Barge des rapides de White Horse. L'entraînement aidant, les chiens se mirent, dans la région de Marsh, de Tagish et de Benett, à prendre un train si rapide, filant sans effort sur la surface glacée et se grisant de leur propre vitesse que celui des deux hommes qui courait devait se faire remorquer par une corde pour ne pas être distancé.

Le treizième soir, dans la nuit, on atteignait le sommet de White Pass et l'attelage dévalait à une allure insensée la pente qui mène à la mer, dans un joyeux bruit de sonnailles. En bas, devant eux, ils voyaient les lumières de Skagway et les feux des navires en rade.

Pendant ces deux semaines, ils avaient tenu une moyenne de quarante miles par jour ! Le record était pulvérisé et ne tomberait pas avant longtemps.

Perrault et François se pavanèrent en ville pendant trois jours, fiers comme des paons, recevant avec des éclats de rire de grandes claques dans le dos, presque forcés de refuser des invitations à boire, vu leur nombre.

L'attelage se reposait dans un enclos environné toute la journée d'une foule admirative et envieuse.

Puis, trois ou quatre mauvais garçons de l'Ouest ayant attaqué une banque, la terrible fusillade qui s'ensuivit devint le centre de l'intérêt général.

Et puis, vinrent les ordres officiels. Perrault et François étaient affectés ailleurs. Le grand métis pleura en entourant Buck de ses bras, et les deux Canadiens, l'Indien et le Français, disparurent pour toujours de l'horizon de Buck.

CHAPITRE V

Comme l'attelage appartenait au gouvernement, on l'affecta au service de la poste. Confié à un métis d'Indien et d'Écossais, un grand gaillard au cou de taureau, il fit la route de Dawson avec une douzaine d'autres équipages.

Ce n'était plus là l'exaltation des courses folles, et les records battus avec l'intrépide Perrault, non, c'était la poste, voilà tout. Toujours la même route, en traînant toujours à peu près la même lourde charge. Cela n'amusait nullement Buck, mais il faisait son travail en conscience, comme Dave et Sol-Lek.

Buck veillait d'ailleurs constamment à ce que les autres chiens, contents ou mécontents, fissent leur travail également bien.

La vie était monotone et réglée comme une mécanique. Tous les matins à la même heure, les hommes se levaient, le feu s'allumait, et l'on mangeait le repas du matin. Puis les uns attelaient les chiens tandis que les autres levaient le camp, et l'on partait régulièrement une demi-heure avant l'aurore, dans la grisaille glacée de la petite aube.

On s'arrêtait à nuit noire. Les uns dressaient les tentes, les autres coupaient du bois et des branches de sapin pour le feu et les lits, apportaient de l'eau ou de la glace pour la cuisine.

Les chiens recevaient alors à manger; c'était pour eux le principal événement de la journée. Leur poisson dévoré, ils allaient errer dans le camp une heure ou deux, engageant la bataille ou faisant connaissance avec les autres chiens.

Il y en avait toujours une centaine, et beaucoup étaient de farouches amateurs de bagarre. Trois victoires remportées sans trop de mal par Buck lui acquirent le respect universel et, désormais, tous battaient en retraite lorsqu'il grondait en hérissant la fourrure de son cou.

Buck passait surtout son temps de repos étendu près du feu, regardant la flamme et bâillant. Quelles images passaient dans ses yeux d'or à demi fermés ? Le Sud lui était devenu indifférent, le juge Miller était à peu près oublié, ainsi que l'affreux chien japonais Toots. Pensait-il plus souvent à l'homme au maillot rouge et à son terrible gourdin ? Vaguement, peut-être, à des combats, contre Spitz ou contre d'autres ? Non, sans doute, mais plus prosaïquement aux choses qu'il avait mangées ou qu'il mangerait volontiers. L'instinct héréditaire faisait disparaître peu à peu toute trace du chien civilisé qu'il avait été; de chien de luxe, il était devenu chien de travail, il avait régressé vers la brute, avec tout ce que cela comporte de puissance physique et d'aiguisement des facultés naturelles et des sens. Les instincts primitifs remontaient en lui au contact des neiges et des sombres forêts de sapins peuplées de bêtes sauvages. Les hommes aussi lui paraissaient sauvages.

Parfois, tandis qu'il sommeillait à demi, ainsi allongé près du brasier, les hommes rudes autour de lui, qui mangeaient leur soupe en regardant danser les flammes, lui apparaissaient comme des souvenirs lointains, des souvenirs de veilles près d'autres hommes différents. Ces hommes-là lui semblaient avoir été velus, avec des cheveux longs et emmêlés, ils jetaient des coups d'œils apeurés vers la nuit épaisse en poussant des grognements indistincts, la main toujours posée sur un gourdin. Et, lorsque le métis écossais et ses camarades s'endormaient et ronflaient dans leurs couvertures de fourrure, Buck croyait voir d'autres hommes sur le sommeil desquels il veillait, et grondait contre des fauves imaginaires dont il voyait danser les yeux dans les ténèbres d'un autre âge.

Ces visions s'envolaient à la voix rude du métis et Buck se levait en s'étirant, bâillant de n'avoir pas vraiment dormi.

Le convoyage de la poste est une tâche éreintante pour les chiens. En arrivant à Dawson, ils étaient tous en triste état. Ils auraient eu besoin d'un vrai repos, d'une semaine ou de dix jours. On les laissa souffler quarante-huit heures et le convoi, alourdi de lettres destinées au monde extérieur, redescendit les pentes du Yukon.

Les hommes aussi étaient fatigués et de mauvaise humeur. Ils injuriaient sans arrêt les attelages fourbus, appuyant leurs paroles de leur fouet cinglant. Par comble de malchance, il neigeait sans arrêt, ce qui rendait les traîneaux plus durs à tirer.

Pourtant les hommes soignaient les chiens de leur mieux et aucun ne se couchait sans avoir examiné attentivement les pattes de son attelage, avec une rude tendresse. Cela n'empêchait pas les forces des chiens de décliner. Depuis le début de l'hiver, ils n'avaient pas couvert moins de mille huit cents miles, en tirant de lourds fardeaux, et ce travail abrutissant avait raison des plus solides. Buck, amaigri et revêche, résistait cependant de son mieux et faisait régner une discipline de fer dans l'attelage efflanqué. Le doux Billie, au bord de l'épuisement total, gémissait toute la nuit en dormant et Sol-Lek était devenu aussi inabordable d'un côté que de l'autre.

Dave était le plus gravement atteint. Il souffrait d'une maladie dont les hommes cherchaient en vain la cause. La douleur le rendait irritable et hargneux. Lorsque le soir, la halte arrivait, Dave creusait son trou n'importe où dans la neige et s'y enfouissait jusqu'au lendemain. L'Écossais devait aller lui porter son poisson dans son trou. Il était très inquiet, voyant bien que la douleur arrachait des cris au malheureux chien lorsque les traits le heurtaient en se tendant.

Bientôt, tous les conducteurs s'intéressèrent à la maladie de Dave. Ils en parlaient le soir, après le repas, en fumant leur pipe, et ils finirent par décider de l'examiner tous ensemble.

On amena Dave auprès du grand feu et on le palpa jusqu'à lui arracher des cris perçants. Il n'avait visiblement rien de cassé, mais les hommes ne purent découvrir de quelle maladie il souffrait.

Quelques jours plus tard, à Cassiar Bar, Dave s'était beaucoup affaibli et tombait de temps en temps dans les harnais.

L'Écossais fit arrêter le convoi et détacha le chien malade, le remplaçant à son poste par Sol-Lek, afin qu'il pût se reposer un peu en suivant l'attelage sans le tirer. Mais, désespéré de se voir priver de son poste, Dave, tout faible qu'il était, se débattait tandis qu'on défaisait les boucles et se mit à hurler avec désespoir en voyant le vieux borgne à sa place. Malade à la mort, la passion du traîneau le tenait toujours et, quand l'attelage s'ébranla, le pauvre chien voulut attaquer Sol-Lek, essayant de le mordre, de se jeter contre lui pour le faire tomber, criant de désespoir et de douleur en même temps.

Le métis essaya de l'écarter à coups de fouet, mais Dave ne semblait pas sentir les coups et l'homme n'avait pas le cœur de frapper avec violence.

Dave refusa de suivre l'attelage, et, lorsqu'il eut compris que sa place ne lui serait pas rendue, il s'obstina à courir à côté du traîneau, en sorte qu'il se fatiguait deux fois plus.

Il finit par tomber d'épuisement sur le bord de la

piste et resta en hurlant dans la neige, tandis que la longue file des traîneaux le dépassait, un à un.

Il réussit pourtant à se relever et à suivre la trace, ce qui lui permit de rejoindre le convoi à une halte. Au moment de repartir, il était à côté de Sol-Lek. Lorsque le métis, ayant rallumé sa pipe, donna le signal du départ, les chiens partirent sans effort apparent d'un bond qui ébahit le conducteur. Et pour cause : le traîneau ne partit pas. L'homme appela ses camarades pour leur faire voir : Dave avait rongé avec les dents les courroies de Sol-Lek et se tenait à sa place devant le traîneau, avec des yeux tristes qui imploraient la faveur de garder sa place.

L'Écossais ne savait que faire; les autres assuraient qu'un chien peut parfaitement mourir de désespoir d'être privé de traîneau. Chacun citait un exemple, beaucoup ajoutaient que ce serait charité que de laisser ce pauvre chien mourir sous les harnais comme il semblait le demander.

L'homme attela donc Dave de nouveau, et Dave parut retrouver des forces, tout heureux. Il essaya de tirer le traîneau avec la même ardeur que jadis, mais son mal interne lui arrachait des cris et il tomba plusieurs fois. Le traîneau le heurtait violemment à chaque fois, si bien qu'il se mit à boiter bas.

Il tint bon jusqu'au soir, avec une énergie désespérée, constamment surveillé par le rude métis attendri qui le fit coucher le soir près du feu. Au matin, Dave ne pouvait plus marcher. Il fit des efforts convulsifs pour se remettre debout et retomba dans la neige, l'arrière-train paralysé. Pendant qu'on attelait ses camarades, il hurlait, essayant de ramper pour les rejoindre. Il arriva même à faire plusieurs mètres de cette façon, mais, quand l'attelage s'ébranla, il resta là à hurler et l'on entendait encore ses appels alors que la forêt l'avait déjà dissimulé aux yeux.

Le métis hésita, puis arrêta le convoi. Tout seul, il revint lentement en arrière, vers le camp que l'on venait de quitter. Les autres hommes semblaient très occupés à rallumer leur pipe. On entendit une détonation et le métis revint en courant.

Les fouets claquèrent, les clochettes des attelages résonnèrent gaiement et la neige fila sous les patins.

Mais Buck et les autres chiens savaient bien ce qui s'était passé.

CHAPITRE VI

Le convoi de la poste de Salt Water entra à Skagway le trentième jour après avoir quitté Dawson. Les attelages étaient à bout et boitaient bas. Buck avait perdu plus de quinze kilos de son poids et nombre de ses compagnons étaient jugés irrécupérables. Pike, le douillet, qui avait si souvent fait semblant de boiter, traînait cette fois la patte pour de bon, tout comme Sol-Lek.

Le moral de l'attelage était au plus bas. Il ne s'agissait plus cette fois de la fatigue intense produite par un effort violent et prolongé, mais d'une lassitude complète que les chiens sentaient jusque dans leurs os et qui ne s'en irait pas avec quelques simples heures de repos.

En effet, en moins de cinq mois, les chiens avaient parcouru deux mille cinq cents miles. Plus, même, au cours des huit cents derniers, ils n'avaient eu que cinq jours de repos. En arrivant à Skagway, ils avaient à peine la force de traîner encore le fardeau et, dans les descentes, ils n'arrivaient plus à l'éviter. L'Écossais, presque aussi fatigué que ses chiens, les encourageait de son mieux :

« Hardi, les enfants, encore un effort, mes pauvres vieux ! criait-il, c'est presque fini, encore un petit effort et nous nous reposerons pour de bon, cette fois ! »

Car les hommes non plus ne s'étaient pas ménagés et n'avaient pas non plus pris de repos, courant devant les chiens ou derrière le traîneau sur leurs raquettes, et de surcroît devant préparer chaque soir la nourriture pour tout le monde, hommes et bêtes.

Bien sûr, les lettres des milliers de chercheurs d'or du Klondike, de tous ceux qui avaient afflué dans le Nord poussés par l'espoir de la fortune, formaient des montagnes et le gouvernement n'admettait aucun retard.

Cela voulait dire qu'on préférait crever les attelages et les remplacer à l'arrivée par des équipes fraîches. Les autres étaient vendus.

Le quatrième jour après leur arrivée, Buck et ses camarades n'étaient pas encore remis. Et c'est ce moment que choisirent deux personnages, deux Américains, pour les acheter, lui et tout l'attelage, harnais compris, pour une bouchée de pain.

Buck devint donc la propriété des nommés Hal et Charles.

Il n'y avait pas grand-chose à dire de Charles,

c'était un homme entre deux âges, myope et aux yeux pleurards, dont le principal trait distinctif était une petite moustache blonde coquettement retroussée au-dessus d'une bouche aux lèvres molles.

Quant à Hal, il avait dix-neuf ans. Il avait un air conquérant et ne sortait jamais qu'armé d'un revolver Colt qui lui ornait la hanche droite et d'un long couteau de chasse dont le fourreau orné de perles lui battait la jambe gauche.

Que faisaient là ces deux personnages à peu près aussi à l'aise dans le Grand Nord qu'un Esquimau sous l'équateur ? Mystère. Personne ne cherchait à comprendre, on se contentait de les regarder avec effarement.

Lorsque Buck eut vu les pièces brillantes changer de main, il comprit sans difficulté que le métis écossais allait disparaître de son existence comme avant lui Perrault, François et tant d'autres. Il suivit docilement les deux hommes jusqu'à un camp en désordre où s'agitait une jeune femme fort jolie et fort dépeignée qui entrait et sortait sans cesse d'une tente vaguement fixée au sol.

Elle s'appelait Mercedès, et était la sœur de Hal et la femme de Charles.

Buck regarda avec intérêt le trio charger le traîneau. Ils se donnaient beaucoup de mal, se gênant les uns les autres et faisant tout de la façon la plus brouillonne du monde. La tente, roulée à la va-vite, occupait une place ridicule. Les assiettes d'étain, que la femme n'avait pas eu le temps de laver, furent jetées en vrac dans un panier qui prit place n'importe où, ce qui n'avait d'ailleurs pas la moindre importance puisque la jolie Mercedès, tout en accablant les deux hommes de reproches et de conseils, leur faisait sans cesse rouvrir les paquets déjà arrimés pour y entasser des affaires oubliées.

Les voisins des Américains, sortis de leurs tentes, les regardaient faire d'un air goguenard.

L'un d'eux retira sa pipe de sa bouche et leur adressa la parole :

« Je ne voudrais pas me mêler de ce qui ne me regarde pas, leur dit-il, mais votre chargement semble déjà bien lourd; à votre place, je n'emporterais certainement pas la tente.

– Comment cela ? s'indigna Mercedès, abandonner la tente ? Et où voulez-vous que nous couchions ? A la belle étoile ?

– Pardi ! répondit l'homme, bien sûr ! Le printemps arrive et les froids sont finis ! »

La jeune femme repoussa cette idée avec des éclats de rire railleurs et l'homme n'insista pas.

Pendant ce temps, les deux beaux-frères finissaient d'amarrer avec des cordes l'espèce de montagne qui leur servait de bagages.

« Vous pensez que cela va tenir ? demanda un autre spectateur.

– Et pourquoi pas ? » répondit Charles en toisant l'interlocuteur.

Et, lui tournant le dos, il se mit en devoir de fixer les harnais des chiens, opération dont la vérité oblige à dire qu'il ne se tira pas trop mal.

« C'est parfait, dit un autre spectateur d'un ton

ironique, les chiens n'auront pas la moindre difficulté à tirer tout cela pendant douze heures d'affilée, au moins !

– J'y compte bien ! » répliqua froidement Hal.

Puis, saisissant d'une main le fouet et de l'autre le gouvernail du traîneau, il fit claquer sa lanière en s'écriant :

« En route ! »

Au commandement, les chiens s'élancèrent et tendirent les traits. Mais, chose vraiment mystérieuse, le traîneau ne bougea seulement pas.

« Ah ! s'écria Hal en brandissant son fouet, bande de fainéants ! Je vais vous faire marcher, moi, vous allez voir ! »

Mais la tendre Mercedès, horrifiée, s'interposa vivement et fondit en larmes en s'accrochant au fouet :

« Vous n'allez pas les battre, j'espère, ces pauvres bêtes ! Hal, vous allez me promettre tout de suite de ne pas même les toucher du bout de votre fouet pendant tout le voyage, sinon, c'est bien simple, je reste ici !

– Vraiment ? constata ironiquement son frère tandis que Charles regardait sa femme avec consternation, vraiment ? On voit, ma chère, que vous vous y entendez à mener les chiens ! Je vous prie de me laisser faire ; moi je connais les chiens et je vous dis que ceux-ci sont tout simplement des paresseux et que le seul moyen d'en obtenir quelque chose, c'est de les faire marcher à coups de fouet. Et vous n'allez pas m'en empêcher ! »

Mercedès éclata en sanglots.

« Voulez-vous que je vous dise une chose ? intervint l'un des spectateurs, vos bêtes sont tout simplement éreintées ! Ce ne sont pas des coups de fouet qu'il leur faut, c'est du repos, vous ne voyez donc pas qu'elles ne tiennent pas debout ?

– Et puis quoi encore ? goguenarda Hal.

– Ne faites pas attention, Hal, s'écria Mercedès qui, voyant son frère attaqué, prit aussitôt son parti; laissez parler les jaloux. C'est à vous de mener votre

attelage comme vous l'entendez et les autres n'ont rien à dire ! »

Encouragé par ce petit discours, Hal cingla de nouveau son attelage, les chiens tirèrent de toutes leurs forces et les traits se tendirent. Mais le traîneau ne bougea pas.

« Ah ! Les satanées carnes ! » hurla Hal fou de rage.

Et le fouet s'abattit avec fureur sur les chiens qui gémissaient sous les coups appliqués à tour de bras. Mercedès jugea que le moment était venu d'intervenir. Elle courut en tête de l'attelage et, s'agenouillant dans la neige, elle passa ses bras autour de l'énorme cou de Buck, procédé familier que le grand chien goûta extrêmement peu.

« Voyons, mon petit chéri ! lui dit-elle les larmes aux yeux, voyons, petit mignon ! Pourquoi ne voulez-vous pas partir ? Vous ne voulez pourtant pas recevoir des coups de fouet ? Voyons, grand méchant, faites cela pour moi, un petit effort ! »

Les spectateurs se tenaient les côtes, excepté l'un d'eux qui serrait jusqu'à présent les dents sur le tuyau de sa pipe pour ne pas montrer son exaspération, et qui explosa soudain :

« Mais, sacrebleu ! hurla-t-il, ne voyez-vous pas que les patins du traîneau sont gelés ? Ne comprenez-vous pas qu'il faut aider les chiens en appuyant à droite et à gauche sur le gouvernail, pour débloquer la glace ? Je me fiche pas mal de tout ce qui peut vous arriver, mais, à cause des chiens, il faut quand même vous le dire ! »

Malgré sa colère, Hal suivit ce conseil, la mine

pincée, et, à force de coups de fouet, le traîneau s'ébranla enfin.

« Enfin partis ! s'exclama Mercedès toute joyeuse. Là ! Vous voyez bien, mes chéris... Hal, arrêtez avec cet horrible fouet, vous n'avez pas de cœur ! »

Hélas ! cent mètres plus loin, la route faisait un coude et rejoignait la rue principale de la ville par une pente un peu raide. Hal n'était pas assez bon conducteur pour maintenir dans ce passage l'équilibre d'un aussi lourd chargement, et, bien entendu, le traîneau versa sur le côté. Les spectateurs demeurés en haut de la pente se tordaient de rire, certains étaient même à genoux dans la neige pour rire plus à l'aise. Quant aux chiens, rendus furieux par les coups reçus, ils continuèrent sur leur lancée sans s'arrêter. Buck prit le galop, imité par ses camarades enchantés, tirant de toutes leurs forces le traîneau allégé qui les suivait en rebondissant joyeusement de droite et de gauche, mais toujours sur le côté. Hal, qui s'égosillait contre les chiens, voulut les arrêter au passage. Par malchance, son pied se prit dans une courroie et il tomba à plat ventre dans la neige, en sorte que tout l'attelage lui passa sur le corps avec satisfaction. Il eut tout juste le temps d'éviter le traîneau lui-même. Et, à la grande joie des habitants de Skagway, Buck et ses camarades parcoururent au grand galop, dans un grand bruit de sonnailles, toute la rue principale de la ville, semant au petit bonheur ce qui restait du chargement.

Quelques spectateurs charitables finirent pourtant par arrêter l'attelage emballé et par aider les malheureux Américains à ramasser leurs bagages éparpillés. Ils leur donnèrent également quelques conseils, notamment ceux de réduire la charge de leur traîneau et d'augmenter le nombre de leurs chiens.

Hal, Charles et Mercedès finirent par se résoudre de mauvais gré à les écouter et remirent leur départ au lendemain.

Ils passèrent en revue leur équipement, ce qui fit à nouveau tordre de rire les spectateurs.

« Seigneur Dieu ! leur disait l'un, mais comptez-vous donc monter une auberge, avec toutes ces couvertures ? Laissez-en les trois quarts, vous en aurez encore de trop !

– Et toute cette batterie de cuisine qui ne sera sûrement jamais lavée ? disait un autre, vous pourriez tenir un restaurant ! Croyez-vous voyager en train de luxe ? »

Quand il fallut faire le tri des vêtements, Mercedès refusa avec énergie de se séparer de ses robes de soie, déclarant qu'elle préférait rester plutôt que de les abandonner.

Les deux hommes ne savaient plus que faire, lorsque les railleries des spectateurs la firent soudain changer d'avis. Et, avec la sombre bouderie d'une personne injustement outragée, elle rejeta par la même occasion une bonne moitié de vêtements qui, eux, étaient vraiment indispensables, aussi bien à elle qu'à ses deux compagnons.

Bref, quand le tri fut terminé, le total des bagages formait encore une charge imposante.

Hal et Charles décidèrent alors d'acheter des chiens

supplémentaires. Ils ne firent pas les choses à moitié et en acquirent six. Les premiers qu'ils trouvèrent, d'ailleurs.

Si jamais il y eut équipe hétéroclite, ce fut bien celle-là ! Outre l'attelage primitif et les deux chiens indigènes Teek et Koona qui étaient avec eux depuis les Rapides, il y avait trois grands pointers de chasse à poil ras, une sorte de terre-neuve, et deux bâtards à longue queue de race difficile à déterminer mais où il devait entrer de l'épagneul et du berger breton.

Ces pauvres bêtes avaient été dressées, certes, depuis leur arrivée dans le pays, mais elles n'étaient pas bonnes à grand-chose et Buck ne put jamais leur apprendre leur rôle. Ils paraissaient d'ailleurs complètement abrutis par les mauvais traitements. Quant aux bâtards, seuls leurs os semblaient offrir de la résistance.

Ce ramassis de chiens, adjoint à la dernière minute à un attelage encore épuisé par un voyage ininterrompu de deux mille cinq cents miles, ne laissait rien augurer de bon.

Les deux hommes, pourtant, se montraient enchantés de leur superbe attelage de quatorze chiens, car on voyait rarement une équipe aussi nombreuse.

S'ils s'étaient seulement renseignés sur les véritables conditions d'un voyage dans le Grand Nord, peut-être auraient-ils compris qu'il était impossible à un seul traîneau de transporter suffisamment de nourriture pour cette grande quantité de chiens et pour les voyageurs, sans parler des bagages. Mais, comme ils s'étaient livrés à des évaluations compliquées sur la durée probable du voyage et sur le poids des rations à prévoir, ils se contentèrent de rire des réflexions qu'on ne manqua pas de leur faire et se tinrent pour assurés de réussir.

Bref, le lendemain matin, l'interminable attelage finit par s'ébranler pour de bon, alors que la matinée était déjà fort avancée.

Pour imposante qu'elle fût, l'équipe n'avait pas grand cœur à l'ouvrage. Buck, comprenant qu'on allait une fois de plus reprendre l'horrible route de Dawson, se sentait perdre tout courage; les nouveaux chiens ne comprenaient rien à ce qu'on voulait d'eux et, tremblants devant les coups, n'avaient aucune initiative. Quant aux anciens de l'attelage, ils avaient rapidement compris qu'il n'y avait aucune confiance à accorder aux nouveaux maîtres.

Il faut dire que, si ces derniers se montraient d'une ignorance stupéfiante, ils faisaient également preuve d'une remarquable inaptitude à jamais apprendre quoi que ce soit.

Aussi désordonnés qu'insouciants, ils s'arrêtaient un peu après le coucher du soleil et passaient toute la soirée et une partie de la nuit à dresser le camp tant bien que mal. Une bonne partie de la matinée se passait ensuite à lever ce même camp et à charger le traîneau tellement de travers que, lorsqu'il ne versait pas au bout de trois pas, il fallait sans cesse s'arrêter pour rajuster des ballots ou des colis qui se détachaient. Certains jours, on faisait dix miles, d'autres fois, on remettait tout simplement le départ au lendemain.

Bref, ils ne réussirent jamais à faire seulement la moitié du chemin qu'ils s'étaient fixé. Et comme c'était sur cette distance qu'ils avaient fondé leurs savants calculs de répartition de la nourriture, il était évident que les provisions devaient être épuisées à peu près à la moitié du voyage.

Cette échéance fut d'ailleurs largement avancée par la stupidité de Hal, qui s'avisa tout à coup que, si les chiens manquaient d'énergie, c'était qu'ils ne mangeaient pas assez. Ensuite de quoi, il doubla tout simplement leur ration. De ce côté-là, les chiens n'y trouvaient rien à redire. D'autant que, avec une inconscience fabuleuse, Mercedès prenait tous les jours du poisson en cachette pour le distribuer à ses favoris.

Les nouveaux chiens, habitués à une famine chronique, firent preuve cependant d'un appétit formidable, et les autres n'étaient pas en reste. La disette menaça au bout de peu de temps.

Hal s'en aperçut bientôt. Lorsqu'il vit, au quart de la distance, que plus de la moitié des provisions étaient épuisées, il prit une forte résolution et diminua du jour au lendemain la ration quotidienne de moitié. Et il décida d'allonger les heures de marche. Ses compagnons galvanisés l'approuvèrent sans réserve. Mais, comme ils ne firent rien pour l'aider et que l'on ne partit pas une seule fois plus tôt que d'habitude, le projet en resta au niveau des intentions.

On ne put mettre en œuvre que le plus facile, à savoir diminuer brutalement la ration des chiens. Naturellement, les chiens s'affaiblirent.

Dub avait une blessure à l'omoplate. Malgré sa

« connaissance des chiens », Hal la négligea, ce qui valait aussi bien, d'ailleurs, car Dieu sait comme il l'aurait soignée. La blessure négligée s'enflamma et Hal se décida à achever Dub d'un coup de revolver. Puis le terre-neuve mourut. Puis les trois pointers, chiens de chasse égarés dans des harnais de traîneau. Ils moururent à peu d'intervalle les uns des autres, sans avoir rien compris à leur triste destin.

Sur les dix qui restaient, les deux bâtards résistèrent plus longtemps, puis on les retrouva morts à leur tour.

Le voyage tournait mal. Les trois voyageurs s'aigrissaient de plus en plus. La beau voyage arctique, dépouillé de son charme imaginaire et livresque, apparaissait tout à coup dans sa terrible vérité. Aucun des trois n'avait jamais eu dans l'âme le dixième de l'énergie et de la patience inlassable des hommes du Grand Nord, grossiers et rudes, sans doute, mais dont aucune fatigue ne saurait abattre l'endurance ni la ténacité.

Mercedès cessa bientôt de défendre les chiens contre le fouet de Hal pour s'apitoyer sur elle-même et se disputer avec son frère et son mari, lesquels se disputaient entre eux dès qu'ils cessaient de se disputer avec elle.

Chacun croyait dur comme fer, et en toute bonne foi, qu'il faisait tout et que les autres se laissaient soigner.

Pour Mercedès, la chose était encore plus dure que pour les deux hommes. La jeune femme, pour écervelée qu'elle fût, était fort jolie et séduisante. Elle avait toujours été traitée avec indulgence et admiration et, maintenant que son frère et son mari, exaspérés, ne lui témoignaient plus cette déférence à ses caprices qu'ils lui avaient toujours montrée, elle s'estimait la plus malheureuse des femmes.

Fatiguée et uniquement préoccupée d'elle-même, elle ne tarda pas à refuser de marcher et à vouloir se faire tirer sur le traîneau. C'étaient encore là cinquante kilos ajoutés au poids considérable que les chiens peinaient à tirer.

Quand les malheureux animaux, épuisés, tombaient dans les harnais, son frère et son mari suppliaient Mercedès de reprendre les raquettes, mais elle ne répondait à leurs supplications que par des larmes et des sanglots.

Une fois, à bout de nerfs, ils la prirent à bras le corps et la firent descendre de force. Elle s'assit dans la neige et refusa obstinément de marcher.

Ils menacèrent de la laisser là, lui disant qu'elle serait bien obligée de les rejoindre à la halte. Elle ne répondit même pas. Ils firent mine de partir et l'attendirent trois miles plus loin.

A la tombée de la nuit, ils furent bien obligés d'aller la rechercher. Elle les attendait à la même place, assise dans la neige, à demi gelée, avec un air de martyr.

Elle continua le voyage en traîneau.

Aux Five Fingers, à peu près la moitié du voyage, la provision de saumon séché pour les chiens fut entièrement épuisée.

Après bien des palabres, Hal obtint d'une vieille

Indienne roublarde quelques kilos de cuir de cheval congelé. Elle ne consentit à céder cette nourriture malsaine et indigeste, provenant du cadavre d'un animal mort de faim six mois plus tôt, qu'en échange du fameux revolver Colt qui se balançait si gracieusement à la hanche du jeune homme. Les munitions durent, bien entendu, suivre le même chemin, et Hal resta seulement avec son grand couteau de chasse.

Les chiens étaient dans un état pitoyable. Buck lui-même tombait dans les harnais et ne se relevait plus que sous les coups. Son pelage avait perdu toute souplesse et tout brillant et se dressait sur ses flancs amaigris en touffes hirsutes, emmêlées de boue et de sang coagulé. Ses compagnons étaient encore pires. A voir ces squelettes revêtus d'une espèce de cuir terne, trébuchant sous les coups, on se demandait où ils pouvaient encore trouver l'énergie de tirer l'énorme charge, encore alourdie de la gracieuse Mercedès emmitouflée dans ses fourrures.

Quelque aguerris que fussent les chiens, ils ne pouvaient y tenir et n'y tinrent pas.

De l'ancien attelage, Billie, le gentil Billie, mourut le premier. Il se laissa tomber par terre et resta sur place, l'œil éteint et les côtes à peine soulevées par un souffle régulier. Privé de son pistolet, Hal lui fracassa la tête d'un coup de hache, avant de défaire les traits et de jeter le cadavre sur le côté.

Les six survivants eurent de quoi réfléchir.

Le lendemain, ce fut Koona.

Sur quatorze chiens, il n'en restait plus que cinq : Joe, trop épuisé pour être hargneux, Pike, à demi estropié et qui boitait sans même gémir, Sol-Lek, le vieux borgne, tirant toujours avec vaillance et gémissant de n'avoir plus de forces, Teek, qui était mourant et Buck, ombre de lui-même. Il restait en tête de l'attelage, mais ne faisait plus guère figure de chef. La tête bourdonnante, il avançait clopin-clopant, tout droit devant lui, ne voyant plus que les quelques mètres de neige qui étaient devant ses pattes.

Jamais début de printemps n'avait été aussi terrible pour les bêtes. L'aube se levait maintenant vers trois heures, il faisait clair jusqu'à neuf heures du soir, mais ni hommes ni bêtes ne semblaient le remarquer. Pourtant, toute la journée n'était que soleil, la sève montait dans les sapins, faisant gonfler les bourgeons, les saules se couvraient de chatons et des bêtes sortaient de leur long engourdissement hivernal. Dans le ciel bleu, de longs vols triangulaires arrivaient du Sud, les oies sauvages passaient très haut en criant, les piverts tapaient du bec dans la forêt, bref, l'hiver prenait fin.

Les sources et les torrents longtemps glacés recommençaient à sauter de roche en roche en murmurant et le grand fleuve Yukon rongeait tous les jours plus impatiemment la couche de glace qui le recouvrait encore. Cela rendait d'ailleurs l'avance de plus en plus dangereuse pour la caravane, sans que Mercedès, boudeuse sur son traîneau, Hal blasphémant ni Charles geignant parussent seulement s'en apercevoir.

Cette équipe pathétique atteignit finalement l'embouchure de la White River. Là se trouvait un campement, celui d'un certain John Thornton.

A la halte, les chiens s'affaissèrent dans les traits, comme morts sur place.

Mercedès sécha ses yeux pour examiner Thornton et Charles s'assit précautionneusement sur un tronc d'arbre, tant ses os lui faisaient mal. Hal se chargea d'aller parler à l'habitant de cet endroit.

John Thornton était pour le moment occupé à façonner une branche solide afin d'emmancher sa hache. Il leva un œil sur le nouveau venu, le salua poliment, mais lui répondit par monosyllabes. Il avait déjà vu des voyageurs de cet acabit et savait par expérience que les conseils leur sont inutiles. Néanmoins, par acquit de conscience, il l'engagea à se méfier de l'état de la glace, rendue fragile par la fin de l'hiver et déjà très mince en beaucoup d'endroits.

« On nous l'a déjà dit, répondit Hal d'un air de bonne humeur, mais on nous avait aussi prédit que nous n'atteindrions jamais la White River, et, vous voyez bien, nous y sommes quand même !

– C'est de la chance, dit Thornton, mais pour faire le passage sur cette glace pourrie qui est en train de fondre, il faudrait une chance de pendu ! Pour ma part, on pourrait me donner tout l'or de l'Alaska que je ne m'y risquerais pas !

– C'est que votre destin n'est pas d'être pendu ! répondit Hal en riant. Mais nous, nous devons aller à Dawson et nous irons à Dawson, quand le diable y serait ! »

Et, se retournant, il fit claquer son fouet en criant :

« Allez ! En route ! Allons, Buck ! Debout ! Vas-tu obéir fainéant ? »

Thornton continuait son travail sans rien dire. Les chiens n'avaient pas eu l'air d'entendre l'ordre. Il y avait beau temps qu'ils ne comprenaient plus que les coups. La lanière du fouet se mit à cingler les côtes saillantes, se tordant comme un serpent, tandis que Thornton serrait les lèvres en regardant le spectacle du coin de l'œil.

Sol-Lek, sous les coups, parvint le premier à se remettre péniblement debout, puis Joe, en gémissant. Pike retomba deux fois et finit par rester vacillant sur ses pattes.

Quant à Buck, il restait étendu de tout son long dans la neige, le souffle court et les yeux fermés, insensible au fouet qui lui cinglait les côtes.

Plusieurs fois, Thornton parut sur le point d'intervenir, voulut parler, se tut, et finalement se leva, marchant de long en large en regardant le spectacle. Hal, exaspéré, et cela d'autant plus que c'était la première fois que Buck refusait le travail, abandonna son fouet et se saisit d'un solide bâton qu'il abattit sur le chien. Mais Buck ne bougea pas même sous la grêle de coups. Peut-être aurait-il été néanmoins capable de se lever, mais, bien plus sûrement que sa faiblesse, son instinct lui commandait de ne pas bouger de place : les craquements de la glace, de plus en plus nombreux ces derniers temps, lui faisaient pressentir une catastrophe. Et puis sa faiblesse était telle qu'il préférait encore mourir là, sous les coups, plutôt que d'aller au-devant de la mort.

Tout à coup, sans rien dire, John Thornton se précipita sur Hal, lui arracha le gourdin des mains et lui assena en pleine figure une gifle à assommer un bœuf.

Mercedès poussa un cri strident et Charles, encore à demi ankylosé, essuya ses yeux pleurards. Hal, plus stupéfait encore que furieux, essuyait machinalement le sang qui lui coulait du nez en regardant Thornton.

Celui-ci, bégayant de colère et blanc de rage, essayait en vain de parler :

« Si vous touchez encore à cet animal, parvint-il à articuler, je vous tue ! Vous entendez ?

– Dites donc vous ! C'est mon chien ! dit enfin Hal, qui sentait la colère lui revenir, mêlez-vous de vos affaires ou, sinon, gare ! »

Et, comme Thornton se rapprochait de lui d'un air peu engageant, Hal saisit son couteau de chasse et le tira du fourreau.

A cette vue, Mercedès estima le moment approprié pour une crise de nerfs en règle, et tomba inerte dans les bras de son frère avec des cris perçants.

D'un geste sec, Thornton fit tomber tout simplement l'arme du jeune homme et, la ramassant, se mit à couper les harnais de Buck.

Hal, ne sachant s'il devait courir vers sa sœur ou tomber sur Thornton, et n'ayant d'ailleurs plus d'arme et guère de forces pour lutter, estima tout à coup que Buck était à peu près mort et qu'autant valait s'en débarrasser. Il renonça donc à faire valoir ses droits sur l'animal et, quelques minutes plus tard, les quatre chiens restants et les trois Américains s'éloignaient et quittaient la berge pour s'engager sur la glace de la rivière. Buck était resté étendu à la même place, mais la tête relevée, il regardait s'éloigner le traîneau et ses vieux camarades. Thornton, agenouillé près de lui, cherchait, avec une douceur inattendue de ses énormes mains, s'il avait quelque os de cassé.

Il ne découvrit que d'innombrables contusions, beaucoup de cicatrices et un état de maigreur incroyable.

Pendant ce temps, le traîneau avançait lentement sur la glace. Ils avaient fait peut-être un quart de mile lorsque Charles qui était à l'avant se retourna au cri effrayant que poussa Mercedès, et vit avec des yeux agrandis d'horreur tout l'arrière du traîneau qui s'enfonçait dans une sorte de profonde ornière liquide. Hal avait déjà disparu sous la glace lorsque Charles parvint d'un bond au traîneau. Mais il était trop tard, la glace craquait de toutes parts et tout à coup un énorme morceau de la surface bascula, précipitant hommes, traîneau et chiens dans les flots glacés du Yukon qui se referma sur eux pour toujours.

Le cri de Mercedès avait été si puissant qu'il parvint jusqu'à la cabane de Thornton. L'homme et le chien se regardèrent : « Pauvres diables ! » dit Thornton.

Buck lui lécha la main.

CHAPITRE VII

L'année précédente, au mois de décembre, John Thornton avait eu les pieds gelés. La guérison avait été lente, et l'homme s'était vu contraint de rester au camp tandis que ses compagnons partaient en amont du fleuve abattre du bois et former un train qui descendait le fleuve jusqu'à Dawson.

Thornton boitait encore un peu, mais il était maintenant solide sur ses jambes et la chaleur revenue fit rapidement disparaître cette infirmité.

Quant à Buck, il passait maintenant ses journées étendu au soleil, mangeant comme un ogre, musardant dans les bois redevenus verts, ou allant nager dans les anses calmes du fleuve.

Bref, il menait une vie de parfait pacha, qu'il avait d'ailleurs amplement méritée. Car on a bien droit à un peu de repos après cinq mille kilomètres de course dans la neige, attelé à un traîneau d'une demi-tonne ! L'ami Buck en profita de son mieux. Chacun en faisait d'ailleurs autant ! John Thornton lézardait au soleil ou flânait dans la forêt, et ses chiens Skeet et Nig folâtraient en attendant le moment inévitable où il faudrait reprendre le collier.

Skeet était une petite chienne setter irlandaise, adorant l'eau, pourvue de longs poils roux, qui avait dès l'abord marqué beaucoup d'amitié à l'immense Buck. Celui-ci était trop affaibli pour s'irriter de ces avances familières et Skeet, à l'instar de beaucoup de chiens qui ont ce goût ou cet instinct de soigner, entreprit de lécher et de soigner ses plaies. Cette cure eut d'ailleurs un succès si rapide que Buck en vint à désirer les soins de Skeet autant que les grosses caresses de Thornton.

Nig, un grand chien noir moitié braque et moitié limier, était de caractère plus réservé, mais également bon camarade et toujours de bonne humeur.

Ces chiens, qui semblaient partager la bonté d'âme de leur maître, adoptèrent donc immédiatement le nouveau venu, qui n'eut même pas à s'imposer, à son grand étonnement, et qui, bien que déshabitué depuis longtemps de jouer, finit par se laisser faire et gambada comme eux dans la forêt ou dans le camp.

La vie semblait entièrement changée. Et cela d'autant que Buck connaissait pour la première fois un sentiment que les chiens connaissent pourtant souvent : l'amour du maître.

Certes, dans la lointaine Santa Clara, Buck avait

professé pour le juge Miller – combien oublié désormais – des sentiments de respect et d'estime. Mais il y avait loin entre cette amitié sereine du passé et la passion dévorante qui commençait à s'emparer de son esprit de chien ! Que Thornton lui eût sauvé la vie, Buck ne s'en rendait même pas compte, bien sûr. Ce qui comptait, c'était l'amitié de cet homme qui comprenait les chiens au moins aussi bien que François ou Perrault et qui n'oubliait jamais de leur adresser le mot aimable ou la tape amicale qui rend un chien heureux pour toute une journée sans qu'il sache pourquoi. Thornton avait une manière particulière de saisir à deux mains par les joues la tête énorme et de la secouer rudement en abreuvant l'animal d'injures pittoresques qui plongeaient le brave Buck dans un délire de bonheur. Il restait des heures assis à guetter ses mouvements, grondant sourdement pour attirer l'attention du maître. John Thornton s'était pris lui aussi d'une grande amitié pour Buck, redevenu magnifique grâce à ses soins, à la nourriture et au repos, et, quand l'immense animal bondissait autour de lui avec des râles de bonheur dans la gorge, il ne pouvait s'empêcher de rire et de redire la phrase, bête et mille fois redite, mais si expressive : « Il ne lui manque que la parole ! »

Parfois, il arrivait que, dans un excès d'enthousiasme, Buck prit entre ses crocs la main du maître et lui prodiguât ces brutales caresses dont les chiens ont le secret. La main de Thornton en sortait bien quelque peu meurtrie, mais Thornton ne se fâchait pas, sachant qu'il s'agissait d'un débordement d'amitié,

et, à travers les injures dont l'homme l'accablait, le chien discernait parfaitement la note amicale qui montrait qu'il avait compris.

D'ailleurs, ces manifestations étaient rares. Lorsque Skeet n'hésitait pas à pousser du nez la main du maître jusqu'à ce qu'elle en ait reçu une caresse, ou quand Nig venait poser sa grosse tête noire sur les genoux de l'homme, Buck savait l'adorer à distance.

Pendant longtemps, Buck ne put se résoudre à quitter de vue le bûcheron. Hanté par ces disparitions successives qui avaient marqué sa vie de chien, il craignait de perdre ce maître-là, et le surveillait sans cesse. Cependant, malgré cette crainte perpétuelle qui aurait pu faire conclure à un retour à la civilisation, les instincts fauves de Buck, réveillés par la vie barbare, se développaient lentement.

Le camp de Thornton était le territoire sacré du bonheur, Nig et Skeet ses camarades de jeu, mais pour le reste... Pour le reste...

On lui avait trop bien inculqué la ruse, le vol, la violence, le combat pour la vie. C'était là chose irrémédiable. Tout être participant du maître était «tabou» bien entendu; quant au reste du monde, il devait livrer combat au grand chien. Et vaincre ou mourir.

Lorsque Buck commença à moins craindre de perdre le maître aimé, il se mit à vagabonder dans la forêt. Ses courses devenaient de plus en plus longues, et ses batailles plus nombreuses. Bientôt, ce ne fut plus qu'une chasse perpétuelle. Chaque jour, il revenait chargé d'une nouvelle blessure, la panse pleine de viande sauvage, ensanglanté jusqu'aux yeux.

Des profondeurs de la forêt, il sentait tous les jours plus distinctement venir des appels mystérieux, lancinants, sauvages et pressants. Souvent, il bondissait et courait interminablement dans la forêt, qu'il sentait devenir son véritable domaine, son royaume de chasse. Souvent, il s'arrêtait au cours de ces longues courses, humant le vent au bord de ces terres inconnues, avant de revenir vers le maître aimé, avec une sorte de regret. L'amour de l'homme, ou plus exactement de cet homme précis qu'il avait adopté pour maître, le forçait à retourner en arrière, à tourner le dos aux forêts profondes qui l'appelaient d'une voix impérieuse.

Il revenait.

Au camp, les associés de John Thornton, Hans et Peter, étaient enfin de retour, leur train de bois terminé, et vivaient en bonne intelligence avec Buck. Faire connaissance n'avait cependant pas été chose facile : Buck avait commencé par refuser énergiquement de leur laisser prendre place dans la cabane. Il avait fallu les patientes et fermes manières de Thornton pour que le grand chien reconnût le droit des nouveaux venus. Il comprit finalement qu'ils étaient de la famille, accepta même avec condescendance leurs caresses, voire leurs ordres, mais ne leur accorda jamais le moindre sentiment affectueux. Thornton seul avait droit de tout exiger de lui.

Thornton entièrement guéri, les trois hommes abandonnèrent leur camp et entreprirent de remonter vers les sources de la Tanana, où ils espéraient trouver de l'or.

Un soir, ils établirent la halte en haut d'une falaise qui dominait de cent mètres d'à pic l'encaissement de la rivière. Ils fumaient leur pipe auprès du feu. Les chiens, allongés près des hommes, bâillaient de temps en temps, la tête sur les pattes. Buck fixait son maître, guettant son regard, attendant un ordre qui viendrait peut-être.

Thornton regardait le chien lorsqu'une idée bizarre lui passa par la tête, une envie soudaine d'étonner ses camarades en leur montrant l'étendue de son emprise sur Buck.

« Vous allez voir quelque chose », dit-il brusquement à Hans et à Peter.

Il montra la falaise et cria :

« Buck ! saute ! »

Il avait à peine parlé que Buck se levant d'un bond se précipitait vers la falaise et le gouffre béant.

Thornton poussa un cri et réussit à se jeter sur le chien dont les pattes avant étaient déjà dans le vide. Hans et Peter bondirent, agrippèrent Thornton comme ils purent et réussirent à ramener tout le monde sur le sol ferme.

Les trois hommes se regardèrent, hors d'haleine.

« Il ne faudrait pas recommencer tous les jours ce genre de plaisanterie, finit par déclarer le silencieux Hans.

– Non, répondit Thornton, partagé entre la honte d'avoir exposé aussi gratuitement sa vie, celle de ses camarades et celle de Buck, et le sentiment de fierté que lui inspirait l'adoration absolue du chien.

– Je n'aimerais pas être dans la peau de celui qui vous attaquerait devant lui, dit Peter, il n'en resterait sans doute pas grand-chose ! »

Peter avait parfaitement raison, comme on ne tarda pas à le voir.

Vers la fin de l'année, les trois camarades étaient arrivés à Circle City. Tous trois étaient allés boire un verre dans un bar, un soir, lorsqu'une querelle éclata.

Un nommé Burton, dit Black Burton, connu pour son mauvais caractère et ses fanfaronnades, s'en prit sans beaucoup de raison à un autre chercheur d'or. Thornton, qui était un homme droit et juste, essaya de calmer le braillard qui se retourna contre lui et lui décocha en pleine figure un coup de poing qui le fit chanceler.

Les spectateurs sentirent leurs cheveux se hérisser en entendant au même instant le hurlement bref d'un loup retentir dans la salle et ils virent vaguement passer par-dessus leurs têtes à travers l'atmosphère enfumée une sorte de projectile.

C'était Buck, bien sûr, le terrible Buck, qui arrivait à la rescousse. Black Burton essaya de sauver sa figure en enfonçant son poing fermé dans la gueule béante hérissée de crocs qui lui tombait dessus, mais le poids de Buck était tel que l'homme roula à terre sous le choc. La foule se précipita, mais le chien avait déjà ouvert la gorge de l'agresseur et s'acharnait sur la blessure. Le sang giclait. On réussit enfin à tirer l'homme des griffes de Buck – il fallut d'ailleurs toute l'autorité de Thornton – et on le soigna. Mais, tandis qu'un médecin examinait Burton, il fallait retenir à plusieurs un Buck hérissé et flamboyant de colère qui grondait sourdement et qui n'avait manifestement qu'une envie, celle d'achever sa victime à l'instant même.

Les mineurs réunirent sur le champ un « conseil » et jugèrent l'affaire. Les débats furent passionnés. Finalement, à main levée, on reconnut que l'attaque de Buck était plus que motivée et on l'acquitta en félicitant Thornton de posséder un chien semblable. Son nom commençait à être connu dans le monde des mineurs, des chercheurs d'or et des bûcherons.

En décembre, les trois compagnons avaient quitté Circle City. Il s'agissait de descendre la rivière grossie par les pluies, et l'on se trouva bientôt au milieu des rapides, extrêmement dangereux. Hans et Peter, sur la rive du fleuve, retenaient le canot avec une longue corde qu'ils enroulaient d'arbre en arbre, tandis que Thornton dirigeait l'embarcation au moyen d'une perche.

Buck, sur la rive, surveillait son maître avec confiance, restant au même niveau que lui, attentif à ses moindres mouvements.

La manœuvre se déroulait fort bien, les trois hommes étaient habiles et habitués à se compléter sans rien dire. Puis arriva l'accident. Au moment de resserrer la corde, une secousse l'arracha des mains des deux hommes sur la rive et, emportée brusquement, l'embarcation chavira et se retourna quille en l'air. Le plongeon de Thornton ne fit qu'un avec celui de Buck. Et tandis que l'homme était emporté dans les tourbillons vers les roches aiguës et meurtrières du rapide, Buck nageait de toutes ses forces vers son maître en difficulté. Il parvint à le rejoindre près de trois cents mètres en aval et Thornton lui saisit la queue. Le sentant accroché avec cette énergie surhumaine de l'homme qui se noie, Buck entreprit de nager vers la terre. Mais le rapide se resserrait et devenait de plus en plus violent. Les efforts inouïs du chien ne servaient qu'à l'épuiser et les roches aiguës sur lesquelles l'eau rebondissait avec fracas étaient de plus en plus proches. Le grondement du torrent furieux roulant des blocs de roche à travers les dents de pierre comme une scie dans du marbre, dominait les cris de terreur et d'encouragement de Hans et de Peter. L'homme et le chien allaient disparaître quand, par un coup de chance, Thornton réussit à s'agripper à un roc qui tint bon.

Il fallut plusieurs minutes à Thornton pour reprendre souffle et rassembler ses esprits. Puis, il tâcha de faire comprendre au chien qu'il fallait l'abandonner et aller retrouver les hommes sur la rive. Mais Buck ne voulait pas le quitter et s'obstinait à nager à contre-courant pour rester auprès de son maître, avec cet air perplexe des chiens qui se demandent ce que l'on peut bien attendre d'eux. Devant l'insistance de Thornton, il finit par exécuter l'ordre et, allégé du poids de son maître, fendit le courant en biais, pour arriver à la berge. Les deux hommes lui fixèrent en hâte sur les épaules une longue corde nouée assez lâchement pour ne pas le gêner et, cette fois, Buck comprit : il replongea de lui-même dans le courant rapide en direction de son maître. Sa vigueur allait triompher de tous les obstacles et il était près du rocher auquel se cramponnait toujours Thornton, quand la malchance voulut qu'il fût happé par un tourbillon qui naquit devant son nez, en sorte qu'il fut englouti et ballotté au-delà du rocher. Thornton paraissait de plus en plus épuisé.

Il fallut que Hans et Peter halent la corde et ramènent le chien à demi noyé. Ils le secouèrent, lui pressèrent les flancs, lui firent rendre l'eau avalée, Buck paraissait mort.

Thornton, qui s'épuisait rapidement, poussa des appels désespérés.

Au fond de quel inconscient Buck entendit-il cet appel ? Lui que l'on croyait noyé se rejeta subitement d'un bond dans l'eau glacée, entraînant la corde.

La Providence voulut cette fois qu'il dépassât le milieu du courant, lequel le rabattit sur la roche où était cramponné Thornton. Celui-ci le vit arriver comme la foudre au milieu de l'eau écumante et, jouant son va-tout, jeta ses bras autour du cou du chien. Hans et Peter halèrent le tout et ramenèrent enfin l'un et l'autre sains et saufs sur la rive.

Lorsque les soins énergiques de ses camarades ramenèrent Thornton à la vie, son premier geste fut de chercher Buck. Voyant celui-ci qui gisait inerte, Thornton, malgré son épuisement, se redressa et, sourd aux protestations de Hans et de Peter qui allumaient du feu pour sécher les deux malheureux, il se mit en devoir de ramener à son tour Buck à la vie. Il le frictionna et le massa énergiquement et si longtemps que Buck finit par donner signe de vie. Son premier geste fut de lécher la main de son maître qu'il avait sauvé. Buck se sentait plein de bonheur.

Il n'avait guère, au fond, que trois côtes brisées !

Ce même hiver, Buck accomplit un autre exploit exceptionnel. Peut-être était-il moins héroïque, mais il fut extrêmement profitable aux trois hommes sur le plan pécuniaire, et même il allait sceller leur destin et celui de Buck.

Cela se passait à l'Eldorado Saloon, un bar bien connu des chercheurs d'or de l'Alaska, où ils se réunissaient et étaient à peu près sûrs de retrouver régulièrement des visages de connaissance. Les hommes buvaient l'alcool de grain dans des verres grossiers, parlaient fort, juraient, plaisantaient, discutaient du métier, des nouvelles du front pionnier, des rumeurs de découvertes et des mérites de leurs attelages, ce grand sujet des hommes du Nord.

On vantait les exploits des chiens, chacun augmentant les mérites du sien.

« Savez-vous que le mien est capable de traîner à lui seul trois cents kilos ! » disait l'un. Il ne mentait qu'à moitié.

« Je suis sûr, répondait un autre, un homme riche de l'endroit nommé Matthewson, je suis sûr que le mien en tirerait bien trois cent cinquante !

– Trois cent cinquante? ricana le premier, trois cent cinquante ? Pourquoi pas cinq cents ?

– Qu'est-ce qu'il peut bien y avoir là d'extraordinaire ? intervint subitement Thornton après avoir vidé son verre, je suis sûr pour ma part que mon chien Buck tirerait une demi-tonne ! »

Le richard se mit à rire :

« Vraiment ! Tiens ! Il est si fort que cela ?

– C'est comme j'ai l'honneur de vous le dire! dit tranquillement Thornton.

– Et sans doute serait-il capable de faire démarrer tout seul mon traîneau, qui est là devant la porte, glacé par la neige ? Peut-être même de le tirer sur cent mètres, hein ?

– Pourquoi pas ? Tout à fait capable ! » dit Thornton avec entêtement.

Matthewson lui rit au nez et, agitant un sac devant sa figure, il s'exclama très haut pour que chacun pût entendre :

« Eh bien, moi, je vous dis que c'est impossible ! Et je parie mille dollars qu'il n'y arrivera pas ! Voilà ma mise ! »

Et il jeta sur le bar le sac gonflé de poudre d'or. Il y eut un silence dans la salle. Thornton, qui avait un peu abusé du terrible whisky fabriqué sur place, se sentit subitement la mire de tous les regards : Hans et Peter arboraient des visages consternés devant les fanfaronnades de leur ami et associé. Cependant, le défi était public. Très sincèrement, Thornton était convaincu que Buck était capable de traîner seul une charge pareille. Seulement, voilà : il n'en avait jamais fait l'épreuve. De surcroît, les trois associés réunis ne possédaient pas mille dollars ! Il était fort ennuyé et commençait à penser qu'il serait peut-être préférable d'affronter le ridicule quand il aperçut le visage d'un vieux camarade, un nommé Jim O'Brien, l'un des rois de l'or du pays. En même temps, il entendait la voix de Matthewson qui disait :

« Je ne vois pas pourquoi vous hésitez ! Mon traîneau est précisément chargé de vingt sacs de farine de vingt-cinq kilos chacun ! Auriez-vous peur ? »

Cette phrase monta l'esprit de Thornton. Il se dirigea vers O'Brien et lui dit :

« Pourriez-vous me prêter mille dollars ?

– Sûr, répondit l'autre avec un clin d'œil, et en déposant à l'instant même sur le bar un sac tout aussi rebondi que celui de Matthewson. Vous me rendrez cela un jour ou l'autre, mais j'ai bien peur, mon vieux John, que votre chien n'y arrive pas ! »

En un instant tous les buveurs de l'Eldorado Saloon étaient dans la rue pour assister à l'épreuve. Les deux associés de Thornton étaient pâles et se mordaient les lèvres.

On entoura le traîneau chargé des mille livres de farine qui stationnait depuis deux heures dans la neige durcie et qui était véritablement scellé au sol par un froid terrible.

Les patins semblaient faire corps avec la glace. Les paris s'engagèrent entre les spectateurs. On prenait Buck à un contre deux, pensant qu'il n'ébranlerait même pas le traîneau. Une contestation s'engagea sur le sens exact du mot « démarrer »; O'Brien soutenait que le traîneau devait d'abord être dégagé de la glace et que le pari portait sur un traîneau libre. Matthewson rétorquait qu'il avait parié sur un traîneau en l'état et que c'était au chien de s'arranger. La majorité des spectateurs donnait raison à Matthewson, en sorte que la cote de Buck tomba fort bas, d'un à trois, et que Thornton commençait à se repentir amèrement d'avoir parlé trop vite. Buck écoutait attentivement, sans rien comprendre sauf qu'il s'agissait de lui.

En voyant les dix chiens qui traînaient habituellement le traîneau de Matthewson, Thornton se gratta la tête. L'autre ricana :

« Trois contre un ! C'est trop facile ! Je vous en offre mille autres, à ce compte ! Thornton, vous êtes d'accord ? »

Thornton échangea un coup d'œil avec ses associés. Perdu pour perdu, autant valait tenter l'impossible : les trois hommes réunirent leurs fonds. Il n'y avait guère que deux cents dollars. N'importe, ils les engagèrent froidement contre six cents de Matthewson.

On détela les dix chiens et Buck fut installé à l'avant du traîneau.

Perplexe, l'immense animal semblait chercher ce que l'on attendait de lui ; il devinait qu'il s'agissait d'un effort, mais n'imaginait nullement la raison de ce remue-ménage exceptionnel. Il se sentait néanmoins surexcité par l'attention générale et remuait la queue avec bonne humeur. La foule l'admirait à voix haute. C'était vraiment un animal superbe, son poil était aussi fourni et lustré que du velours et chacun admirait l'ampleur de sa formidable poitrine, la largeur de ses pattes sèches et dures, la minceur élancée de ses flancs, tant et si bien que sa cote remonta sensiblement, à deux contre un, les connaisseurs ayant palpé ses muscles.

« Dites donc, dit l'un des gros bonnets de l'endroit à Thornton, dites donc, monsieur Thornton, je vous en offre huit cents dollars, si vous voulez, tel qu'il est,et avant l'épreuve ! »

Thornton secoua doucement la tête et vint se mettre à côté de Buck. Les autres faisaient cercle.
Matthewson protesta :
«Vous ne devez pas être à côté de lui! De la place,

et franc jeu ! Je parie mille six cents dollars, quand même ! »

On lui donna raison. Thornton s'agenouilla dans la neige à côté de Buck et lui parla amicalement à l'oreille, le caressant rudement :

« Vas-y, vieux camarade, fais cela pour moi, allez ! »

Buck, les yeux brillants d'ardeur, poussa un gémissement sourd et passa sa langue rouge sur la figure de Thornton, attendant les ordres.

La foule regardait avec passion ; ce discours entre l'homme et le chien donnait à l'épreuve on ne savait quelle dimension anormale, quelque peu magique. Quand Thornton se releva, Buck attrapa entre ses dents la main de son maître et la mordilla. C'était un message d'affection, muet, mais qui voulait dire que même s'il ne savait pas ce qu'il fallait faire, on pouvait compter sur lui, il n'y avait qu'à ordonner. Et il suivit avec un regard calme et attentif Thornton qui se reculait lentement.

Puis la voix du maître claqua dans le silence :

« Buck ! Hop ! »

Les yeux fixés sur son maître, Buck obéit avec la précision et l'automatisme d'une mécanique et tendit les traits, puis les relâcha imperceptiblement, comme il avait toujours appris à faire.

Les sourcils froncés, Thornton éleva de nouveau la voix :

« Buck ! Haw ! »

Buck, fermement, tira sur la droite les pattes rivées dans la neige dure.

On entendit un léger pétillement sous les patins du traîneau. Les hommes retenaient leur souffle.

« Buck ! Gek ! »

Buck tira sur la gauche, le pétillement se changea en un craquement sourd, la charge trembla et le traîneau bougea imperceptiblement. La glace était brisée. Les hommes écarquillaient les yeux, la respiration suspendue. Buck guettait son maître.

Puis claqua le commandement final :

« Buck ! Mush ! »

Au cri vibrant de Thornton, Buck arrondit les épaules et, les pattes arc-boutées, tendit les traits dans un effort gigantesque. Les griffes profondément enfoncées dans la neige gelée, la poitrine touchant presque le sol, les muscles noués par l'effort comme des couleuvres dans un sac, il ne quittait pas des yeux Thornton qui le fixait avec angoisse, essayant de lui communiquer son énergie par le regard.

Et le traîneau bougea.

Il y eut d'abord une oscillation, puis il glissa sur le côté d'un centimètre. Une patte de Buck ayant dérapé, un spectateur jura à voix haute, puis le traîneau, par petites secousses, s'ébranla, gagna un centimètre, puis deux, puis ne s'arrêta plus et lentement, lentement, glissa...

Accroché à la glace, Buck poursuivait son effort, les yeux rivés sur Thornton qui marchait devant lui à reculons, avec un geste d'appel des deux mains. Les spectateurs se remettaient à respirer et marchaient lentement derrière et, quand la distance, soigneusement mesurée, eut été franchie, quand Buck ahanant

ELDORADO SALOON

approcha du tas de bois qui marquait le but, la foule fit entendre un murmure qui s'enfla en rumeur formidable d'encouragement, pour éclater en acclamations lorsque Buck vainqueur de l'épreuve s'arrêta net au commandement de Thornton.

Enthousiasmé lui-même, Matthewson congratulait Thornton à grand renfort de claques dans le dos, jurant qu'il ne regrettait rudement pas ses mille six cents dollars, puisqu'il lui avait été donné d'assister à une chose pareille !

Thornton, agenouillé près de Buck, rayonnant, avait pris à deux mains l'énorme tête du chien et la secouait rudement en l'injuriant de son mieux, les larmes aux yeux. Buck savourait béatement sa récompense, nageant dans la joie.

« Monsieur Thornton, disait d'une voix entrecoupée le roi de l'or de Shookum Bench revenant à la charge, monsieur Thornton, je vous en donne mille dollars ! Douze cents ! Treize cents, si vous voulez !

– Ah ! Ça ! s'écria brusquement Thornton en se retournant et foudroyant le nabab du regard, mais vous allez nous foutre la paix, vous ? »

Et les spectateurs, ayant compris, se retirèrent discrètement pour ne pas troubler le tête à tête des deux camarades, tandis que Buck mordillait la main de Thornton.

CHAPITRE VIII

Ainsi, grâce à la force colossale de Buck, John Thornton avait gagné mille six cents dollars en un quart d'heure.

Il en profita pour régler quelques dettes criardes et put enfin envisager un projet qui lui tenait à cœur, à lui et à ses associés, depuis plusieurs années.

Il s'agissait d'un voyage dans l'Est, probablement un long voyage. Vers la mine perdue. C'était là plus qu'une légende, même si les faits remontaient à l'époque des premiers coureurs de l'Alaska.

Innombrables étaient ceux qui étaient partis à sa recherche, bien peu nombreux ceux qui en étaient revenus. La plupart avaient disparu pour toujours. On avait oublié le nom de son premier découvreur, on ne savait qu'en gros sa direction. Le plus clair de la chose était que l'emplacement en était indiqué par une cabane en ruine.

Quelques-uns de ceux qui en étaient revenus, dans un état d'épuisement physique total,délirant à demi, étaient chargés de pépites d'une taille extraordinaire. Et cela, il n'y avait pas à le nier.

Nul n'avait jamais fait acte de propriétaire légal sur ces fabuleux trésors, à demi mythiques, que les morts ne pouvaient réclamer.

Plus à leur aise qu'ils n'avaient jamais été, John Thornton, Hans et Peter achetèrent un solide équipement, s'assurèrent d'un solide attelage de six nouveaux chiens, dirigé par Buck, et, un beau matin, partirent vers l'est.

On commença par remonter le cours glacé du Yukon pendant soixante-dix miles. Puis on obliqua pour suivre la rivière Stewart. Quelques jours plus tard, on passa le Mayo et le McQuestion, et l'on remonta au-delà des sources de la Stewart. Alors, on s'attaqua aux pentes raides des montagnes, qui semblaient l'échine même du vieux continent massif.

La solitude était absolue, nul ne venait jamais dans ces contrées sauvages. Mais, pour ces expéditions, les trois hommes comptaient peu sur les autres, beaucoup sur eux-mêmes et assez sur les événements. Ils ne redoutaient aucune solitude, ayant l'âme des forts qui se suffisent en tous temps. Avec un sac de sel et un fusil, ils s'avançaient sans crainte dans les contrées les plus inexplorées, sûrs de se tirer d'affaire à leur gré. Le temps ne leur était pas compté et ils marchaient tout en chassant leur nourriture, à la façon des Indiens. Le gibier manquait-il ? Ils ne se troublaient pas, ils veillaient seulement à sortir de ces régions arides et, tôt ou tard, la venaison revenait.

Comme le gibier devait assurer la plus grande partie de la nourriture, le traîneau n'était guère chargé que de munitions et d'outils de prospection.

Buck accueillit ces longues randonnées avec allégresse. Cette vie de chasse permanente, entrecoupée de parties de pêches, ces longues étapes en pays vierge, mettaient le chien dans un état de liesse insensée ; il n'avait jamais été plus heureux de sa vie.

Il y eut des semaines entières où l'on marchait sans trêve, d'autres où l'on semblait se fixer pour toujours au bord d'un cours d'eau poissonneux. On dressait le camp, les chiens paressaient, jouaient ou chassaient pour leur propre compte dans la forêt. L'un des hommes, souvent, les accompagnait tandis que ses camarades creusaient la terre gelée et lavaient patiemment près du feu de grandes batées de gravier où scintillaient des paillettes d'or.

Parfois l'on avait faim, parfois l'on faisait bombance, selon la chasse et les hasards.

Puis vint l'été. Les hommes construisirent des radeaux pour franchir des lacs sinueux qui reflétaient le bleu du ciel entre des glaciers verdâtres. On remonta ou on descendit des rivières impétueuses et inconnues de toutes les cartes, dans des pirogues primitives creusées dans des troncs d'arbres. Les hommes étaient pris du goût de l'aventure et riaient dans les petits matins tranquilles, en faisant cuire les truites des torrents.

Les jours, les semaines, les mois, passaient. On foulait des terres qui paraissaient vierges mais que, suivant la tradition, des hommes avaient jadis parcourues.

La nature se déchaînait parfois : orages inouïs, tempêtes de neige en plein été, éboulements soudains de pierrailles qui dévalaient par tonnes le long des pentes, en avalanches qui arrachaient et brisaient les sapins avec des craquements sourds.

La nuit, les braises luisaient plus roses à la lueur du soleil de minuit, à la limite des neiges éternelles. Puis, l'on redescendait dans les vallées humides et tièdes, infestées d'énormes moustiques. Les sapins faisaient place à des arbres chargés de fruits qui croissaient à l'ombre verte des glaciers chaotiques.

Ils passèrent tout l'automne à explorer des régions tristes et grises, parsemées de lacs, que les oies sauvages avaient déjà quittées pour la tiédeur du Sud. Seules y bruissaient les vagues, mourant sur des grèves désertes balayées de vents gémissants.

L'hiver venu, ils étaient loin de toute présence humaine. Ils hivernèrent avec bonne humeur. Un certain temps, ils crurent avoir trouvé une trace et la suivirent.

C'était une route, une piste plutôt, visiblement taillée de main d'homme à travers la forêt. Ils la suivirent longtemps, pensant qu'elle pouvait bien mener à la fameuse cabane en ruine.

Mais la piste s'arrêtait aussi subitement qu'elle avait commencé. Elle ne menait nulle part et resta aussi mystérieuse que celui qui l'avait tracée. Pourquoi là ? Pourquoi et quand ?

Une fois ils découvrirent une hutte aux trois quarts ruinée. Ils la fouillèrent. Parmi les restes de couvertures pourries, Hans découvrit un vieux fusil à pierre, un fusil des premiers temps de la Compagnie de la Baie d'Hudson, au XVIIIe siècle, héroïque témoignage de la hardiesse des premiers pionniers oubliés et morts depuis longtemps. De l'homme qui avait possédé ce fusil, ils ne trouvèrent pas la moindre trace.

A la fonte des neiges, ils plantèrent leur camp pour une longue période. Ils n'avaient pas découvert la cabane perdue ni la mine fabuleuse, mais, dans une large vallée où s'étalait un petit lac, ils avaient trouvé un placer profond, une riche poche d'or dont le métal luisait comme du beurre au fond des batées alourdies.

Comme ils étaient sages, ils s'arrêtèrent là. Chaque jour qui passait leur rapportait des centaines de dollars en poudre d'or et en pépites. Ils chassèrent les élans, fabriquèrent avec leur peau des sacs pour enfermer la poudre jaune par vingt-cinq kilos à la fois.

Les hommes étaient joyeux, les jours passaient rapidement à ce labeur phénoménal. Les chiens n'avaient rien à faire si ce n'est, de temps en temps, à traîner le gibier tué par les hommes.

Buck galopait longuement dans les forêts épaisses, puis revenait rêver auprès du feu à ces vagues nostalgies qui le prenaient de plus en plus souvent.

A ses vagues visions d'époques révolues venait maintenant se mêler cet appel puissant qui émane des grandes forêts de mélèzes, des neiges vierges et des lacs profonds et impassibles. Mû par on ne savait quel sentiment, le formidable chien se levait alors d'un mouvement souple, avec un feulement bas de gorge, et partait, trottant d'une allure silencieuse et oblique, enivré de senteurs fortes de résine et d'humus, tressaillant au fumet du lièvre, de la fouine ou du renard.

Parfois, après être resté des heures à guetter silencieusement une vie sauvage, il revenait, s'attendant à trouver cet homme velu qu'il lui semblait confusément avoir eu pour compagnon dans les âges immémoriaux, mais le souvenir du maître aimé reprenait rapidement le dessus et il accélérait son trot avec une sorte de remords, la tête basse et l'échine oblique, pour revenir contempler Thornton des heures durant, en bâillant auprès du feu.

Et puis, au cours de la nuit, obéissant au mystérieux appel, il s'en allait encore, pendant des heures, galopant dans les pierrailles desséchées du lit des torrents ou dans les grands pâturages en fleur.

La voix retentissait plus impérieuse la nuit, et il la sentait plus proche en courant dans les sous-bois immenses et murmurants, lorsqu'on dirait que, sous le vent, la forêt songe et parle en rêve.

Une nuit, dans son sommeil, il entendit la voix. Il se leva sans bruit, le col hérissé, les naseaux dilatés. Il prit son trot vers la forêt.

Cette fois, l'appel était tout proche et bien distinct. Jamais la voix n'avait été aussi nette. C'était comme le long cri du chien indigène, mais en plus fort, en plus sauvage...

Silencieux comme une ombre, il s'enfonça sous les arbres, galopant vers la voix, la voix qu'il cherchait depuis si longtemps, à travers les années et les âges.

Puis, comme la voix était de plus en plus proche, il ralentit son allure et devint tout prudence et tout ruse.

Puis il le vit.

Au milieu d'une clairière, assis, maigre, long et gris, un grand loup des forêts hurlait à la lune.

Buck était arrivé en silence, sans le moindre bruit, mais le loup sauvage l'éventa quand même et se tut. Prudent, les oreilles couchées, Buck s'avança lentement, prêt à l'attaque comme à l'esquive. Mais son allure témoignait cependant d'un désir d'amitié. Le loup le regarda avec circonspection, puis se décida à prendre la fuite.

Buck le prit en chasse longuement plein d'un désir passionné de le rejoindre. Le loup courait infatigablement dans le lit d'un torrent desséché, entre les hautes rives duquel il se trouva finalement acculé par un inextricable abattis d'arbres morts. Alors il fit volte-face, à la manière des loups, la même manière qu'avaient aussi Joe ou les chiens indigènes. Les mâchoires ouvertes, le loup offrait le combat.

Mais, au lieu d'attaquer, Buck tournait autour de lui, remuant la queue avec un petit grondement amical. Le loup semblait perplexe, d'autant plus méfiant qu'il arrivait à peine à l'épaule du grand chien, puis, tout à coup, d'un mouvement imprévu, il esquiva et prit la fuite.

Buck le suivit. Une nouvelle fois, le loup manqua d'être pris, de nouveau il s'enfuit.

Cela dura jusqu'au moment où le loup finit par reconnaître que Buck ne lui voulait pas de mal. Il s'arrêta, se laissa flairer et flaira le chien.

Sur quoi ils devinrent camarades et se mirent à jouer ensemble, sous la lune, avec ces mouvements brusques et timides des bêtes sauvages, qui restent toujours aux aguets.

Quand le loup se remit en marche, posément, cette fois, d'un petit trot soutenu et régulier de bête qui sait où elle va, Buck trotta longtemps à côté de lui, se laissant guider.

Des heures entières, ils galopèrent côte à côte, en silence tandis que l'aube se levait sur les collines grises.

Buck était rempli d'une joie inconnue en courant interminablement avec ce frère sauvage.

Ils passèrent un ruisseau où ils burent tous deux. Et alors quelque chose se passa. Buck se souvint tout à coup de John Thornton. Le loup, désaltéré, reprit sa course, vit que Buck ne le suivait pas, revint en arrière, lui donna de petits coups de museau pour l'inviter à le suivre.

Mais Buck revenait lentement sur ses pas et, pendant plus d'une heure, le loup sauvage accompagna le chien féroce, en grondant doucement.

Puis, lorsqu'il se sentit trop près des hommes, il s'assit à son tour, regardant Buck s'éloigner. Et, longtemps, Buck entendit le long hurlement d'appel qui retentissait au loin dans les bois sombres.

Thornton achevait de dîner lorsque Buck arriva sur lui au galop de charge, sortant du bois. L'homme s'étonna du débordement extraordinaire d'amitié que lui témoignait la bête, lui léchant le visage, les mains, aboyant joyeusement et se roulant par terre de bonheur.

Thornton répondit de son mieux à ces manifestations, sans rien comprendre à ce qui se passait dans ce cerveau de chien.

CHAPITRE IX

Pendant deux jours et deux nuits, Buck resta au camp sans en sortir, couvant littéralement son maître du regard, attentif à ses moindres gestes, comme s'il craignait de le perdre.

Puis l'inquiétude le reprit, avec le souvenir de cette longue course côte à côte avec le frère sauvage.

Il reprit peu à peu ses longues randonnées dans les forêts, mais il ne retrouva plus le loup.

Buck était maintenant parvenu à l'épanouissement physique le plus complet. Sans les taches fauves qui marquaient ses joues, on l'eût pris pour un loup immense. Du loup, il avait également l'astuce et l'opiniâtreté inébranlables ; de son père, le gigantesque terre-neuve, il avait la puissance et le courage indomptable ; de sa mère, la longue collie, la finesse des formes et l'intelligence. Ces qualités physiques et morales avaient été affinées et développées à l'extrême par la redoutable école qu'il avait suivie, celle du Grand Nord, et Thornton ne se lassait jamais de le regarder avec une sorte d'admiration respectueuse en murmurant qu'on n'avait jamais vu un chien semblable, aussi fort, aussi beau, aussi intelligent.

Mais Thornton ne soupçonnait pas la lente transformation qui s'était opérée en Buck ; était-ce encore un chien ?

On en aurait douté si on avait pu le voir dès qu'il gagnait l'ombre des sous-bois, quand son allure s'allongeait, que son trot oblique infatigable ne faisait plus le moindre bruit tandis qu'il foulait les aiguilles de pin ou les lits de pierres des torrents desséchés. Ce n'était plus un chien, alors, c'était une gigantesque bête fauve, aussi à l'aise dans son démesuré milieu naturel qu'un roi dans son royaume. Silencieux et puissant, ombre parmi les ombres, il savait attraper la perdrix des neiges dans son nid, creuser le terrier des lapins pour leur briser les reins. Il pouvait même d'un bond saisir au vol les écureuils gris, si agiles. Il tuait et mangeait. Jamais il n'aurait tué pour le plaisir.

L'hiver était précoce, cette année-là ; les hardes d'élans commençaient à descendre en grand nombre vers les vallées abritées où ils passeraient plus à l'aise la saison des glaces. Buck ne craignait pas les élans. Il n'avait pu jusqu'alors en tuer qu'un jeune, de bonne taille, certes, mais il n'avait jamais encore affronté un grand mâle et brûlait de se mesurer aux terribles andouillers palmés.

L'occasion s'en présenta quand une harde, comptant une vingtaine de têtes, peut-être, descendit sans hâte vers les vallées, à petites journées, guidée par un vieux chef d'aspect formidable, de plus de deux mètres. Ses bois colossaux ne comptaient pas moins de quatorze andouillers et mesuraient près de deux mètres d'une extrémité à l'autre. Ses petits yeux rouges étaient furieux, et peut-être la douleur que lui causait une flèche dont la hampe brisée lui sortait du flanc avait-elle aigri son caractère farouche. L'élan n'a rien d'un animal paisible ; il frappe fort et vite, est d'un courage inouï, d'une résistance à toute épreuve, et possède peu de patience. A la moindre provocation, il charge. Buck trouva que le vieux chef était un adversaire enfin à sa mesure.

Dès qu'il aperçut le chien, l'élan poussa un brame de colère et gratta la terre du sabot. Ce gros loup ne lui inspirait aucune crainte : les loups n'attaquent d'ailleurs que les jeunes, les femelles, et de préférence en meute organisée.

Mais l'ingéniosité de Buck était considérable. Il utilisa tout de suite la tactique séculaire héritée à travers les âges de ses ancêtres oubliés et entreprit tout d'abord de séparer le vieux chef du reste de la harde. Ce n'était pas là chose facile, le vieil élan était rompu à toutes les ruses et était aussi méfiant que féroce.

Le chien courait autour de lui, l'exaspérant par ses abois incessants, tout en se tenant soigneusement hors de portée des formidables andouillers qui l'auraient éventré d'un seul coup et des énormes sabots plats qui lui eussent sans difficulté brisé les reins.

L'élan, furieux, chargeait de temps en temps le chien, qui prenait une molle fuite, espérant l'attirer à sa suite. Mais, dès qu'il s'écartait un peu, d'autres élans plus jeunes mais non moins armés chargeaient à leur tour et permettaient au vieux chef blessé de regagner la harde, qui s'éloignait au petit trot.

Cela dura toute la journée. Les animaux sauvages savent déployer une endurance et une patience aussi tenaces que leur vie même. Et c'est effectivement leur vie qui est toujours en jeu. Toute la journée, Buck harcela la harde, aboyant aux femelles et aux jeunes serrés entre les mères, ne quittant jamais d'un instant le troupeau, et revenant sans cesse vers le vieux chef fou de rage impuissante.

Quand le soleil déclina derrière les montagnes, les femelles, qui avaient couru toute la journée, ainsi que les jeunes, montraient de la lassitude, et les jeunes mâles éprouvaient moins d'ardeur à venir secourir le vieux chef.

Instinctivement ils sentaient l'hiver proche et avaient hâte de gagner les pâturages. La terrible logique du Wild leur disait de sacrifier une tête à la sécurité du reste du troupeau.

A la nuit tombante, le vieux chef, épuisé par toutes les charges fournies dans la journée, la tête basse, était séparé du reste de la harde qu'il ne pouvait plus suivre et qui s'éloignait sous le couvert.

Il soufflait en grattant la terre du sabot, regardant avec haine cet animal qui lui arrivait au genou et qui allait sans doute mettre un terme à son existence de luttes victorieuses.

Dès cet instant, Buck ne le lâcha plus ni jour ni nuit. Il l'empêcha systématiquement de dormir, de brouter et, surtout, de boire. Le grand élan devenait enragé. Il se lançait de temps à autre dans des galops furieux et sans but, espérant peut-être distancer son ennemi. Mais Buck le suivait facilement, tournant autour de lui, se couchant quand le vieux chef s'arrêtait, et venant l'attaquer dès qu'il faisait mine de boire ou de manger.

Les grands andouillers semblaient peser de plus en plus et l'énorme tête de l'élan s'abaissait sans cesse davantage vers le sol, son trot ralentissait, perdant de sa régularité. Pendant de longs moments, il restait immobile, regardant avec haine l'implacable chasseur qui pouvait pendant ce temps laper un peu d'eau sans le quitter du regard.

Buck, attentif à tout, croyait percevoir un changement subtil dans l'atmosphère, une odeur vague et inconnue, comme si des êtres nouveaux étaient maintenant dans la région. Ce changement l'intriguait, mais il ne cessait pas une seconde sa surveillance.

Au soir du quatrième jour, il donna l'assaut final au grand élan épuisé et l'égorgea. Pendant une nuit et un jour, il resta auprès du cadavre de sa victime, la plus grande et la plus formidable qu'il eût tuée, mangeant et se reposant.

Puis, repu et allègre, il reprit le chemin du camp.

Il allait d'une allure régulière infatigable, avec cette sûreté de direction que l'homme ne peut jamais comprendre, lui qui a remplacé son instinct perdu par l'aiguille aimantée de la boussole.

Au fur et à mesure que Buck avançait, le changement subtil qui avait frappé ses sens les jours précédents se faisait plus sensible. Il y avait des êtres nouveaux dans la région. Il accéléra l'allure car, sans que rien pût l'alarmer, il avait le vague pressentiment d'une catastrophe, ou d'un drame. Et il galopa ainsi sans s'arrêter jusqu'à ce qu'il fût arrivé à la dernière cascade avant le camp. Alors il s'avança avec plus de précaution.

Trois miles plus loin, il tomba sur une piste fraîche mais inconnue qui allait vers le camp.

Subitement inquiet, il reprit le galop, conscient d'il ne savait quel danger que lui confirmaient mille détails, les odeurs, le silence inhabituel des oiseaux ou des écureuils. La forêt était étrangement muette. Et, comme il galopait sur la piste, léger et silencieux comme une ombre, une autre odeur frappa subitement ses narines et lui fit faire halte. Cette odeur nouvelle et fade le mena sans hésitation au taillis où gisait Nig, sur le flanc, abattu d'une flèche barbelée qui lui traversait le corps.

Cent mètres plus loin, il tomba sur l'un des chiens indigènes de Thornton. Il n'était pas encore mort, mais n'agitait plus que convulsivement les pattes. Buck passa outre et fonça. Mais il s'arrêta net en entendant une sorte de mélopée qui s'élevait du camp. Il avança en rampant. Au bord de la clairière, il trouva le cadavre de Hans, hérissé de flèches indiennes. Au même instant, il s'aplatit, la présence étrangère qu'il avait pressentie prenait corps : autour de la cabane en ruine de Thornton et de ses camarades, une troupe de Peaux-Rouges Yeehats dansait la danse de la victoire.

Avec un grondement de fureur, le grand chien se releva alors et bondit à l'attaque. Les Yeehats, abasourdis, arrêtèrent net leur danse et entreprirent de se défendre contre ce démon qui semblait avoir surgi au milieu d'eux, tandis que Buck, déchaîné, sautait d'homme en homme, les crocs en avant, ouvrant les gorges l'une après l'autre tandis que ses griffes arrières fouillaient les ventres. Plusieurs Indiens tentèrent de l'abattre d'une flèche ; ils n'arrivèrent qu'à se blesser mutuellement, et, comme il sautait sur un Peau-Rouge, un autre, essayant de tuer Buck d'un coup de lance, plongea son arme dans la poitrine de son compagnon, qui s'effondra avec un cri horrible.

La panique s'empara des Yeehats qui crurent à l'apparition du Démon du Mal et s'enfuirent à grands cris dans la forêt.

Buck, fou de rage et de carnage, les poursuivit encore dans les bois, en égorgeant plusieurs avant de revenir vers le camp en ruine.

Le cadavre de Peter était encore roulé dans ses couvertures, tel que la mort l'avait surpris, au petit matin. Autour de la cabane, le sol était profondément remué et ensanglanté, témoignant de la vigueur désespérée avec laquelle Thornton s'était défendu. Buck, le nez à terre et poussant des gémissements, suivit sa piste jusqu'au lac où elle s'arrêtait.

Là, sur la berge, fidèle jusque dans la mort, la petite Skeet était couchée, la tête et les pattes de devant dans l'eau rougie de sang.

Les eaux calmes et profondes renfermaient pour jamais le corps du maître aimé.

Buck passa toute la journée et toute la nuit à errer dans le camp, poussant des gémissements plaintifs ou des hurlements lugubres.

La disparition du maître bouleversait sa vie, toute son existence basculait en même temps que naissait en lui la conscience de ce qu'il avait tué des humains. Il renifla curieusement les cadavres, surpris de les avoir tués si facilement. Ils n'étaient pas si terribles, finalement. Buck n'aurait plus jamais peur de l'homme.

Au soir quand la lune se leva, Buck sentit monter avec elle l'annonce de quelque chose d'autre.

Les oreilles pointées, il se redressa, humant l'air. Des voix lointaines se faisaient entendre, les abois d'une meute de chasse. Debout dans la clairière, il écouta, et pour la première fois sans remords, la voix qui l'appelait gravement, celle de la vie qui allait devenir la sienne.

Alors, Buck s'assit dans la clairière et, levant le nez vers la lune impassible, il poussa, lui aussi, le long cri de l'appel.

Ici prend fin l'histoire de Buck.

Mais nous savons encore qu'au bout de quelques années les Indiens commencèrent à remarquer une modification chez les loups des forêts. Beaucoup étaient plus grands, plus forts, certains avaient des taches fauves aux joues ou sur le museau, ou une tache blanche au front ou à la poitrine. Aujourd'hui encore, dans les tentes des Yeehats, on parle d'un Esprit-Chien géant qui mène les meutes de loups et qui est le plus rusé de tous. On le redoute, on le craint, il vient voler jusque dans les camps, tue les chiens, évite les pièges et n'hésite pas à s'attaquer même aux guerriers. Les enfants pleurent quand on en parle, les femmes s'assombrissent.

Et plus personne ne va sur les bords du petit lac, car on y voit parfois, dit-on, un loup géant, à la fourrure épaisse, à l'air hautain, qui va errer dans les ruines effacées d'un camp, et fouille du museau dans les herbes et l'humus, remuant les débris moisis de sacs en peau d'élan d'où s'échappent des flots de poudre de métal jaune.

Il erre, il cherche, puis il pousse un long hurlement et retourne dans la forêt, comme aux premiers temps du monde.

LE VAL RIEN-QU'EN-OR

Jusque-là, le torrent bondissait entre les étroites falaises vertigineusement hautes et dévalait des rapides. Mais au-delà d'une petite chute encombrée d'arbres morts, où le torrent écumait, la vallée s'élargissait subitement, les pentes se faisaient moins abruptes, la végétation devenait moins abondante, les sapins s'accrochaient aux pentes, et, au bout de cinq cents mètres, on se serait cru pour de bon au paradis.

Assagi, le torrent coulait tout à coup paresseusement, baignant des rives fleuries et abritant des écrevisses qui rampaient avec méfiance sur le fond de sable. De temps en temps, l'éclair argenté d'une truite bondissait hors de l'eau pour attraper un moustique, et, sur la berge, confortablement affalé, un grand cerf roux mâchonnait paisiblement les brins d'herbe, dans la clarté du jeune matin.

L'une des rives était en pente douce jusqu'au pied de la falaise, éclairée par le soleil. L'autre était une tranquille prairie, parsemée de fleurs blanches.

Puis, en aval, les parois de la vallée se resserraient à nouveau et le torrent reprenait son cours mugissant et rapide, bondissant entre les falaises immenses, sur des blocs de pierre moussue qui retenaient un chaos d'arbres morts entremêlés de viornes que sautaient les saumons à la saison du frai.

Plus loin, au-delà des gorges, se dressaient les pics neigeux de la Sierra, éblouissants sous le soleil tiède.

L'air du vallon était d'une limpidité parfaite, nulle poussière, nulle fumée ne l'avait jamais souillé, les fleurs du manzanita rampant embaumaient le printemps et ses jeunes feuilles commençaient déjà à se dresser verticalement, en prévision de la sécheresse de l'été.

Le grand cerf roux broutait avec béatitude, chassant de temps à autre d'un mouvement prompt de l'oreille une mouche qui bourdonnait paresseusement autour de lui.

Puis, brusquement, le cerf pointa les oreilles et tourna la tête avec inquiétude vers l'extrémité du val. Ses naseaux sensibles frémirent, humant l'air.

Un instant plus tard, il se leva. Il sentit l'air encore un instant, les oreilles mobiles tendues, et d'un bond souple prit le galop. Il disparut silencieusement dans les fourrés, puis dans la forêt.

Au bout d'un moment, le bruit des souliers ferrés d'un homme commença d'être distinct, en même temps que l'on entendait une voix de ténor qui fredonnait un air.

Et, bientôt, le rideau de verdure qui masquait l'entrée de la gorge fut écarté, et l'homme apparut. Il resta un moment immobile, regardant avec une certaine méfiance autour de lui, humant l'air comme l'avait fait tout à l'heure le cerf. Après un examen circulaire, il regarda attentivement chaque détail et parut enfin rasséréné.

« Fichtre ! dit-il à haute voix, regardez-moi un peu cela ! De l'eau, des arbres, de l'herbe, et pas âme qui vive ! Le paradis du chercheur d'or fatigué et du canasson maigre ! Tu vas pouvoir brouter à l'aise, mon bonhomme. »

C'était un grand gars sympathique, à la peau fortement brunie par les intempéries et le soleil, au visage mobile, et dont la bonne humeur semblait le principal trait de caractère. Son teint était un peu brouillé, ses cheveux ternes et en broussaille, mais des yeux d'un bleu naïf éclairaient ce visage tanné ; et il semblait qu'on pût lire toutes les pensées de l'homme, rien qu'à voir ces yeux. Leur expression était principalement l'étonnement et même l'ingénuité, mais ils dénotaient par-dessus tout la sérénité de la conscience et une ténacité qu'auraient enviée beaucoup.

Joyeusement, à travers le rideau de viornes et de lianes, il jeta sur le gazon un pic de mineur, une pioche, une pelle et une batée de laveur d'or, et il prit pied sur le sol de la vallée. Il examina les lieux en relevant sur le front le vieux chapeau de feutre informe et verdâtre qui le coiffait, manifestement détrempé par mille et mille pluies, puis séché par mille et mille soleils. Pour le reste, il était vêtu d'une vieille salopette et d'une chemise de coton noir.

Les yeux mi-clos, il eut un rire de satisfaction et étira ses longs bras maigres :

« Dieu de Dieu ! Que ça sent bon ! » s'écria-t-il.

Il semblait avoir l'habitude de soliloquer à voix haute.

« Allez donc me parler d'eau de rose ou d'eau de Cologne, après cela ! Je l'ai toujours dit, rien ne vaut l'odeur des pissenlits au soleil ! Eh oui ! comme disait ma pauvre grand-mère ! »

Il se mit à plat ventre au bord du torrent et but à même, longuement, l'eau glacée. Il se releva en s'ébrouant avec satisfaction. Tout en s'essuyant les lèvres du revers de la main, il se mit alors à considérer la pente de la vallée, en face de lui, avec intérêt. Il hocha la tête et mit la main dans son sac. Il en tira un paquet de tabac et entreprit de se bourrer posément une pipe, une pincée de poudre de tabac dans un court fourneau de bois. Il fuma posément en examinant la pente d'un œil expert, considérant soigneusement la structure rocheuse. Il regarda longuement, remontant jusqu'aux éboulis du pied de la falaise, puis redescendant vers le ruisseau. Finalement, il hocha la tête de nouveau.

« Ça n'a pas l'air mauvais ! » conclut-il.

Il ramassa son pic, sa batte et sa pelle et traversa le ruisseau élargi en petit étang, en sautant agilement de pierre en pierre.

Sur la rive même, il prit une pelletée de boue et la versa dans la batée. Puis, accroupi sur la berge, il plongea à demi le vaste récipient métallique dans le courant et, des deux mains, le fit tourner adroitement, lavant le gravier et la terre d'un mouvement régulier. Les cailloux les plus gros se rassemblèrent bientôt au milieu, ainsi que les débris les plus légers, sur le dessus. D'un mouvement exercé, il inclina le plat de fer, et rejeta les gros morceaux à l'eau. Puis il recommença le même mouvement, enlevant de temps en temps les gros graviers avec les doigts, pour aller plus vite.

La pelletée de boue semblait fondre dans l'eau courante, et bientôt il ne resta plus au fond de la batée que le gros sable et les particules fines.

Le travail devenait de plus en plus minutieux, et il opérait avec une patience et une délicatesse, fruits d'une longue technique.

Au bout d'un moment, la batée ne semblait plus contenir que de l'eau, mais lorsque, d'un geste sec, il eut rejeté le liquide tournoyant, il restait dans le fond du récipient une couche très mince de sable noir, semblable à de la peinture, qu'il examina de près.

Au milieu du plat apparaissait un minuscule point scintillant.

Il reprit un peu d'eau, lava encore la boue fine en agitant doucement ; il trouva un second grain d'or.

Il recommença de nouveau, avec une méticulosité et une patience qui dépassaient de loin le travail habituel des chercheurs d'or. Il ramena la boue un petit peu à la fois sur le bord, écrasant chaque particule du doigt. Un troisième point d'or brilla sur le bord de la batée, il le ramena délicatement du fond.

Finalement, il découvrit encore un point brillant, et un autre encore. En fin de compte, il ne resta plus dans le plat que des grains d'or, qu'il compta comme un berger compte ses bêtes. Il y en avait sept. Avec un sourire de bonne humeur, il plongea encore une fois sa batée dans l'eau claire et... rejeta le tout dans la rivière.

« Sept, dit-il avec un sourire de triomphe, sept... » On aurait dit qu'il voulait graver ce chiffre dans sa mémoire, après avoir dédaigneusement rejeté le fruit d'un si patient travail.

De nouveau, il regarda longuement la colline, l'envisageant de haut en bas et de gauche à droite, avec l'air déterminé et ravi du chasseur sur la piste de son gibier.

Il descendit quelques pas dans le courant et reprit une autre pelletée de boue.

De nouveau, il la lava patiemment, tria méticuleusement les parcelles d'or, et les rejeta aussi avec insouciance dans la rivière. Mais,cette fois,il en avait compté cinq.

Il regarda encore longuement le coteau avant de reprendre, un peu plus en aval, une nouvelle batée. Le nombre des grains d'or allait diminuant. Il n'en trouva plus que quatre, puis que trois, puis deux, encore deux, puis un seul.

Cette fois, il alluma un feu de branches et fit chauffer son plat de fer jusqu'à ce qu'il eût pris une teinte bleu noirâtre. Sur ce fond sombre, aucune particule d'or ne pourrait échapper à son examen.

Dans la batée suivante, il trouva encore un grain

d'or. Puis, en aval, il ne trouva plus rien. Il avait l'air très content de ne plus rien trouver, bizarrement, et quand il eut encore recommencé deux autres fois, à cinquante centimètres d'intervalle, qu'il n'eut rien trouvé du tout, il se frotta joyeusement les mains et s'exclama tout haut :

« Si je n'y suis pas, que le bon Dieu m'écrabouille avec des pommes ! »

Il revint alors à son point de départ, au niveau de l'espèce de petit étang que formait le torrent assagi, et recommença minutieusement ses opérations, batée après batée, en remontant le courant, cette fois. D'abord ses essais furent magnifiques : il trouva dans la première batée quatorze grains. Dans la seconde dix-huit, puis vingt et un, enfin vingt-six. Et, juste au-dessus de l'étang, il y en eut trente-cinq qui formaient une minuscule pincée au fond de la batée.

« Cela vaudrait presque la peine de la garder, celle-là ! » dit-il, mais il rejeta le tout dans l'eau.

Il était bientôt midi, mais l'homme ne semblait pas se soucier de repos ou de nourriture. Sans s'arrêter, il continuait son travail.

Et plus il remontait le ruisseau, plus les résultats étaient décevants. Il avait toujours l'air enchanté, et, quand sa pelletée de boue ne donna plus aucun résultat, il éclata de rire, et se frotta de nouveau les mains avec enthousiasme :

« C'est formidable ce que cela diminue ! » se dit-il à lui-même.

Il fit encore quelques essais inutiles, en sifflotant

un petit air gaillard et ravi, puis se redressa pour masser ses reins ankylosés.

Il regarda le coteau qui lui faisait face avec une sorte d'amitié et s'adressa à la pente :

« Ah ! ah ! madame la Poche ! cria-t-il comme si les rochers avaient pu lui répondre, attendez-moi ! J'arrive ! Vous m'entendez, madame, je vais vous trouver, aussi sûr que deux et deux font quatre ! »

Là-dessus, il considéra le ciel d'un air critique, hocha la tête en appréciant la hauteur du soleil et redescendit d'un bon pas le cours du torrent. Il dépassa la ligne de trous boueux qu'il avait pratiqués et disparut par où il était venu.

Mais la tranquillité de la petite vallée ne revint plus, car on entendait sa voix qui chantait avec vigueur.

Puis, un moment plus tard, il y eut un grand bruit derrière les rideaux de viornes et de feuillages, accompagné de cliquetis de ferraille. Les viornes s'agitèrent comme si on s'y était battu, la voix de l'homme retentit, brève et impérieuse, donnant des ordres, et, dans un grand bruit de feuillages arrachés, apparut enfin l'énorme corps d'un cheval. Il portait un bât, avec l'équipement de l'homme, et des tiges de viornes et de lierre arrachées pendaient aux boucles. Le cheval contempla la petite vallée d'un air ahuri, puis, sans en demander davantage, baissa la tête vers le sol et se mit à brouter l'herbe.

Un second cheval apparut, à grands pas lui aussi, glissa sur les rochers, se rétablit, et s'avança à son tour dans l'herbe épaisse. Il portait sur son dos une haute selle mexicaine terriblement usagée et décolorée, avec un haut pommeau fourchu et des sacs qui pendaient aux quartiers.

L'homme venait derrière.

En sifflotant, il déchargea les animaux, les dessella et les laissa vaguer à leur aise dans la prairie.

Pour sa part, il établit soigneusement son camp, déballa ses vivres, prit sa poêle, sa bouilloire, ramassa un fagot de bois mort et se mit en devoir de préparer son déjeuner sur un foyer qu'il construisit avec trois pierres du torrent.

« Eh bien ! dit-il gaiement, ce que j'ai faim ! J'avalerais des cailloux et des fils de fer, oui madame ! Et je vous serais même très reconnaissant d'en avoir une deuxième assiette ! Parfaitement ! »

Il se redressa pour prendre ses allumettes dans sa poche, mais, ce faisant, il ne put s'empêcher d'examiner de nouveau la pente de l'autre côté.

Il se gratta la tête, hésita un moment, la boîte d'allumettes à la main, regarda les préparatifs de son déjeuner, puis se baissa, ramassa sa pioche et sa batée et traversa le ruisseau.

« Si c'est pas malheureux, des idées pareilles ! ironisa-t-il sur lui-même en secouant la tête. Oh ! Et puis après ? Hein ? Une petite heure de retard pour un dîner n'a jamais tué personne ! »

Et il se remit au travail.

A un mètre ou deux de sa première ligne de trous, il en entama une seconde. Le temps passa, bien plus que la « petite heure » escomptée. Le soleil descendait, les sapins devenaient sombres, l'homme ne s'en apercevait pas. Il creusait, chargeait une pelletée de terre dans sa batée, allait la laver au torrent et recommençait infatigablement. Il avait terminé une troisième ligne, puis une quatrième, toujours plus haut sur la pente, sondant le coteau avec une régularité de géomètre.

Le centre de chaque ligne de trous donnait invariablement les plus riches résultats. Quand la batée ne montrait plus trace d'or, il arrêtait la ligne et recommençait plus haut.

Au fur et à mesure qu'il s'élevait sur la pente, les lignes de trous devenaient de plus en plus courtes et commençaient à dessiner un grand « V » renversé sur la pente, dont les branches marquaient la limite où ne se rencontraient plus les paillettes d'or.

Parfois, l'homme s'arrêtait, les mains appuyées sur sa pioche, et supputait l'endroit où les deux branches devaient finir nécessairement par se rencontrer, et qui était naturellement l'objectif à atteindre. L'endroit où l'or ne se rencontrait plus que dans un seul trou et où, estimait-il, devait se trouver « madame la Poche », comme il l'apostrophait amicalement.

« Allons, madame la Poche, soyez aimable ! Descendez un peu, que diable ! Ah ! Vous ne voulez pas ? Très bien, nous allons voir ! »

Et il se remettait au travail.

Maintenant, les batées devenaient plus riches. Il commença à estimer que le résultat valait la peine d'être gardé et il se mit à le recueillir soigneusement dans une vieille boîte de fer-blanc qui avait contenu de la levure de bière.

Il travaillait avec tant de concentration qu'il ne s'aperçut même pas que la nuit tombait. Mais lorsqu'il constata subitement qu'il ne pouvait plus distinguer s'il y avait de l'or au fond du récipient, il se releva brusquement, stupéfait, comme si le soleil s'était subitement éclipsé en plein midi. La nuit était presque tombée :

« Eh bien, dites donc ! marmotta-t-il, en voilà une affaire ! J'ai complètement oublié de dîner, moi ! »

Il repassa le torrent, fit du feu, trébuchant dans l'obscurité croissante et fit cuire ses provisions. Il confectionna un formidable repas de galettes épaisses, de lard grillé et de haricots réchauffés, en homme affamé. Puis, il se mit à fumer paisiblement, ramenant de temps en temps un tison dans les braises rougeoyantes, écoutant les bruits de la nuit et contemplant la pente caillouteuse, en face de lui, vaguement éclairée par la lune.

Enfin, il déroula son sac de couchage, ôta ses brodequins ferrés et, se retournant, la tête appuyée sur sa selle en guise d'oreiller, s'endormit. Il ne s'endormit pas cependant sans s'être auparavant relevé d'un mouvement brusque et avoir crié à la falaise un retentissant :

« Bonsoir, madame la Poche ! »

Après quoi il s'endormit pour de bon.

A l'aube, il dormait toujours comme une bûche. Ce n'est que lorsque la lumière éclatante du soleil vint le frapper en plein visage qu'il se réveilla en sursaut, l'air égaré, comme un homme qui se demande où il est.

Levé d'un bond, il fut tout de suite habillé, n'ayant que ses chaussures à remettre.

Il considéra le coteau d'un air perplexe, puis les cendres du foyer éteint et se morigéna d'un ton grave :

« Voyons, Bill ! Madame la Poche ne va pas se sauver. En plus, un homme qui n'a rien dans l'estomac fait un mauvais travail. Pour le moment, le principal, c'est d'attraper quelque chose de sympathique pour améliorer l'ordinaire ! »

Il alla couper une gaule dans un fourré, et sortit de son sac une vieille ligne et quelque chose d'informe et de méconnaissable qui avait dû jadis être une magnifique mouche artificielle.

« A cette heure-ci, ça devrait mordre », soliloqua-t-il en lançant son appât vers l'eau.

Un instant après, il s'écriait avec bonne humeur :

« Qu'est-ce que je t'avais dit ? Et d'une ! Toc ! »

Comme il n'avait ni temps à perdre ni moulinet, il enleva tout bonnement à la force du poignet une longue truite mordorée qui se débattait avec fureur au bout de la ligne solide. Il ne lui fallut pas beaucoup de temps pour en attraper deux autres, qui constituèrent son petit déjeuner. Il ralluma le feu et fit cuire les poissons sur des baguettes.

Comme il ramassait ses outils pour passer l'eau, il fut pris d'une inquiétude subite :

« Je ferais peut-être bien d'aller jeter un coup d'œil au-delà de la gorge, songea-t-il, on ne sait jamais qui traîne dans ces pays-là ! Ça a beau être désert... »

Puis, haussant les épaules, il franchit le torrent en se disant qu'il faudrait certainement aller voir, mais plus tard.

Il cessa d'ailleurs d'y penser au bout d'un instant et se mit au travail avec acharnement.

Au crépuscule, il travaillait toujours.

« Sacrebleu ! s'écria-t-il en frottant ses reins endoloris, voilà-t-il pas que j'ai encore oublié de déjeuner ! Si je ne fais pas attention, je vais devenir un de ces fous qui perdent l'habitude de manger ! »

Et, en se glissant ce soir-là dans son sac de couchage, il déclara d'un air sentencieux qu'il « n'y avait rien de pire que les poches pour rendre un homme distrait ». Il ne sembla pas en tenir rigueur à son interlocutrice préférée, d'ailleurs, puisque, avant de s'endormir, il ne manqua pas de lui souhaiter un retentissant bonsoir.

A l'aube, il était déjà sur pied et faisait chauffer sur le feu un solide déjeuner. Il l'avala à la hâte et se remit à l'ouvrage avec une sorte de frénésie qui s'accrut encore avec la richesse croissante des premières batées. Rouge, suant, soufflant, il ne ressentait plus la fatigue ni le passage du temps. A peine avait-il rempli sa batée qu'il la portait à la rivière en courant, se tordant les pieds dans la terre éventrée sans y prendre garde, lavait sa pelletée de terre avec délire et remontait, courant en prendre une autre.

Le grand « V » renversé arrivait maintenant à près de cent mètres du bord, la direction générale était de plus en plus nette. On commençait à pouvoir estimer à peu près l'endroit où les jambages se rejoindraient, déterminant du même coup l'endroit qu'il cherchait, celui de la poche espérée.

Il supputa cet emplacement avec perplexité.

« Oui, conclut-il finalement, il n'y a pas de doute, à deux mètres environ de la touffe de manzanita, légèrement sur la droite ! Cela se voit comme un nez au milieu du visage ! »

Et, ne pouvant résister à la tentation, il abandonna son lent et régulier travail de recoupements et grimpa avec ses outils à l'endroit repéré. Il garnit soigneusement sa batée et descendit la laver dans la rivière.

Rien ! Il n'y avait rien ! Pas une seule trace d'or !

Incrédule, il recommença, chercha en surface, puis en profondeur, creusant longuement la terre dure. Au douzième essai, consterné, il laissa tomber batée et pioche et réfléchit.

« Bon, finit-il par dire, mon vieux Bill, tu n'es qu'un crétin. Cela t'apprendra à être impatient. Tu devrais pourtant savoir que si quelqu'un n'est pas doué pour faire fortune en courant, c'est bien toi ! Reprenons le boulot. »

Et il reprit courageusement sa ligne de trous interrompue.

Les batées redevinrent fructueuses et Bill fut rasséréné.

Cependant, au fur et à mesure que les lignes de trous étaient plus courtes, il fallait creuser plus profond. Le filon semblait s'enfoncer dans le flanc du coteau et la boue d'or ne se rencontrait plus guère qu'à quatre-vingts centimètres de profondeur, au moins, alors qu'en bas de la pente l'or se trouvait presque sous les racines de l'herbe.

Plus il grimpait, plus les trous étaient profonds. Et creuser un trou d'un mètre de profondeur pour une batée d'essai est un travail plutôt ingrat.

Il y avait encore une quantité de lignes de trous indéterminée entre lui et le sommet du « V ».

« Et qui sait à quelle profondeur cela va me mener, marmottait-il, en enfonçant sa pioche avec résolution. Saleté de pioche ! »

Et, crachant dans ses mains, il reprenait l'outil pour défoncer le sol avec résolution.

Devant lui, c'était une prairie émaillée de fleurs : il passait, éventrant le terreau et la terre jaune de son pic et de sa pelle et laissant derrière lui un terrain méconnaissable, une espèce de champ de bataille dévasté où ne subsistait rien. Partout, les racines blanches et tendres dépassaient de la terre, laissant juter des sucs parmi les corolles piétinées. On aurait dit une feuille verte peu à peu dévorée et souillée par une limace baveuse. Il n'en avait cure.

En revanche, si le travail était de plus en plus dur et les trous de plus en plus profonds, les batées étaient de plus en plus riches. D'abord, elles furent de vingt cents, puis de trente.

Pendant l'après-midi, elles atteignirent cinquante, puis soixante cents.

Et à la tombée de la nuit, la dernière batée fut la batée maîtresse : il y avait un dollar de poudre d'or dans une pelletée de boue.

Il se fit un bon dîner de truites, massant ses reins endoloris.

« Quel malheur si un coco venait fouiner par là en ce moment ! Je n'ose pas y penser ! » se dit-il en se couchant. Et, se redressant d'un bond sur son séant, il s'admonesta à voix haute, l'index impérativement dressé : « Bill ! Tu m'entends ? Demain matin, tu fais une tournée et tu inspectes les environs ! C'est compris ? Demain matin sans faute ! Avant de te mettre au travail ! »

Il bâilla d'une voix déjà endormie :

« Bonsoir, madame la Poche, bonsoir ! »

Le lendemain matin, lorsque les premiers rayons du soleil éclairèrent la petite vallée, il était déjà en train de grimper la falaise, là où un éboulement récent le permettait. Il avait déjeuné avant l'aube.

Parvenu au sommet de la falaise, il jeta un regard circulaire : la solitude était totale, à perte de vue, lui sembla-t-il. Aussi loin que pouvait porter le regard, les montagnes s'appuyaient les unes sur les autres, semblant se hisser toujours plus haut. A l'est, le regard sautait de cime en cime, là où les sierras paraissaient l'échine hérissée du monde occidental. Au nord, au sud, à l'ouest, c'était partout la même imposante solitude, couverte à perte de vue de forêts brumeuses et imperméables. L'air était d'une pureté de cristal.

Il semblait que l'homme n'ait jamais visité cette contrée. Peut-être était-il le premier, après tout ?

Un instant, il crut avoir aperçu une fumée, comme une trace mince serpentant en contrebas du cañon même où il se trouvait. Il regarda longuement, avec la plus grande attention, puis secoua la tête : ce n'était qu'un effet du brouillard sur la roche, dans l'ombre de la falaise.

« Bon, cria-t-il tout joyeux, attendez-moi, madame la Poche, j'arrive ! »

Et il commença à descendre la pente à toute allure. Avec ses gros souliers ferrés, il avait l'air lourd mais, en le voyant descendre le long des éboulis, on l'aurait pris pour un chamois, tant il déployait de force, d'agilité et de précision. Soudain, au moment où il s'y attendait le moins, un rocher céda sous ses pieds, à mi-pente. Il ne s'affola pas et, appuyant au contraire le mouvement, rétablit son équilibre pour prendre appui au dernier moment et, d'un bond souple, gagner en danseuse la descente principale. Il y arriva comme un acrobate, les bras en balancier, dévalant debout la pente raide, tandis que les rocs croulaient autour de lui avec un fracas d'avalanche qui s'amplifiait de seconde en seconde, chaque bloc entraînant dans sa chute d'autres blocs. Il se laissa glisser, peut-être inconscient du danger, et, avec un cri sauvage et une grimace de joie, atterrit sur le dernier éboulis qu'il descendit en même temps que plusieurs tonnes de terre et de cailloux, sur le bord du cours d'eau.

Ce matin-là, la première batée qu'il lava dans la rivière lui laissa deux dollars de poudre d'or et de pépites.

Le « V » raccourcissait à vue d'œil. Les batées devenaient de plus en plus phénoménales et le point de rencontre des jambages n'était plus qu'à quelques pas. Opiniâtre, il continuait ses recoupements, insensible désormais à l'impatience. Il creusait de plus en plus profondément et, en début d'après-midi, il devait déjà creuser à plus d'un mètre cinquante de profondeur pour trouver la boue aurifère.

Mais aussi, le filon s'avérait d'une richesse véritablement exceptionnelle et constituait à lui seul un placer minier de premier ordre. Le chercheur se dit qu'une fois la poche d'or découverte, si poche d'or il y avait, il reviendrait exploiter le sol.

Au soir tombant, chaque batée rapportait régulièrement entre trois et quatre dollars. L'homme se gratta la tête en regardant avec perplexité la touffe de manzanita au-dessous de laquelle les jambages du « V » devaient approximativement se rejoindre :

« De deux choses l'une, se dit-il, ou bien la poche s'est répandue dans la pente, et ce n'est déjà pas si mal ; ou bien elle est tellement phénoménale que je n'arriverai jamais à tout emporter. C'est ça qui serait une mauvaise blague ! »

Il se frotta les mains en envisageant cette agréable alternative.

Au soir, quand il n'y voyait presque plus, il lava une batée de plus de cinq dollars.

Ce soir-là, il mangea à peine le succulent dîner qu'il s'était préparé. Il n'avait pas faim malgré son travail de brute et riait tout seul sans savoir pourquoi, l'air un peu égaré, en contemplant la pente dévastée en face de lui. Il se retourna lontemps dans son sac de couchage, ouvrant sans cesse les yeux en espérant que le jour se levait.

Quand les étoiles pâlirent et qu'il jaillit d'un bond

de son sac, il avait peu dormi. Il expédia son déjeuner en maugréant et, cinq minutes plus tard, il creusait déjà comme un blaireau le flanc de la colline.

C'était l'avant-dernière ligne. Il n'y avait plus place que pour trois trous, tant la source de cette cascade d'or qu'il avait patiemment délimitée était proche et le filon resserré.

Enfin, avec un frémissement de joie, il attaqua le trou qui marquait le point de rencontre des jambages du « V ».

Tout en creusant, il se morigénait :

« Du calme, Bill, du calme ! Ne t'excite pas, mon garçon ! »

Mais il ajoutait entre ses dents :

« Ah ! Ah ! madame la Poche ! Cette fois-ci je crois que je te tiens, sacrebleu de fichtre ! »

Et il creusait avec l'énergie du désespoir.

Il creusa un mètre, un mètre cinquante, un mètre quatre-vingts, deux mètres, deux mètres vingt... Le travail était de plus en plus dur. Après la terre meuble, la dure terre jaune qui était en dessous, il attaquait au pic une sorte de roc dur qui volait en éclats sous sa barre à mine. Il examina les fragments de roches mêlés de terre :

« Du quartz pourri », conclut-il.

Il déblaya soigneusement à la pelle le fond du trou et attaqua à la barre à mine le quartz délité situé en dessous, rejetant de côté les déblais.

Quand il eut assez creusé, il reprit la pelle. Au premier coup, il crut voir un éclat doré : il se baissa et s'accroupit dans le fond du trou, dans la pénombre.

Avec des gestes tendres, comme un fermier examinant son grain qui lève, il débarrassa soigneusement les éclats du quartz de la terre et des corps étrangers : il poussa une sorte de rugissement sourd. Le quartz qu'il avait dans ses mains contenait une bonne moitié de son poids d'or pur. Il avait trouvé une poche d'or natif.

Il entreprit d'émietter de ses doigts vigoureux le quartz friable, jetant dans la batée les pépites rutilantes, poignée par poignée, respirant à peine, comme rempli d'une émotion religieuse.

Au fond de son trou de deux mètres de profondeur, le jour arrivait tamisé, avec un éclat sourd sur les trésors enfouis et scintillants.

Il hocha la tête avec ravissement :

« On parle toujours de la fameuse mine "Trop d'or". Eh bien ! Si quelqu'un l'a jamais vue, je déclare que c'est de la gnognotte à côté de ça ! Ici, c'est la mine "Rien-qu'en-or !". J'appelle cet endroit le "Val Rien-qu'en-or !" Voilà ! Toc ! »

Riant à voix basse, il frottait sans relâche les pépites entre ses mains terreuses et les jetait une à une dans la grande batée de fer. Brusquement, il sentit une sorte de picotement qui lui fit fourmiller l'échine. Quelqu'un était derrière lui.

Il ne se retourna pas, mais sa gorge se noua et la sueur se mit à couler sous ses bras et sur ses reins, plaquant sa chemise contre son corps, glacée.

Il lui était impossible de savoir ce qui pouvait le menacer, mais il en était sûr. On ne vit pas impunément des semaines dans la solitude sans devenir extrêmement réceptif à toute présence, surtout hostile, par une sensibilité mystérieuse et quasi animale. Evitant de se relever, ou même de tourner la tête, il envisagea la situation. Il était certain que quelque chose se préparait, sa mort probablement.

Respirant profondément, il arriva à vaincre la panique qui commençait à s'emparer de lui, calmement, à effriter entre ses doigts des morceaux de quartz qu'il voyait à peine.

Il affecta de tourner et de retourner une pépite, de la nettoyer avec soin, tandis qu'il sentait derrière son dos la présence étrangère, la présence qui regardait l'or par-dessus son épaule.

Puis, il perçut le bruit du souffle de l'autre, court et oppressé. Des yeux, il chercha autour de lui quelque chose, une arme, un outil de défense. Mais il n'y avait que la terre remuée et des monceaux d'or, à présent inutiles.

En d'autres circonstances, son pic de mineur ou sa pioche auraient pu devenir des armes terribles, mais coincé au fond de son trou, presque enfoui sous deux mètres et demi de terre, sa tête n'aurait pas même atteint le sol. Il était pris au piège.

Il examina rapidement la situation sous toutes ses faces, continuant d'éplucher ses pépites et de les rejeter régulièrement dans la batée, la respiration lente. Quoi faire ? Il y aurait bien un moment où il lui faudrait se redresser et affronter l'autre. Cette idée lui noua de nouveau la gorge. Il commençait à s'ankyloser. Fallait-il bondir sauvagement hors du trou ? Se relever négligemment comme s'il n'avait rien senti et feindre de découvrir le présence de l'autre ?

Tout son être penchait plutôt pour la première solution, mais la raison et la ruse lui conseillaient au contraire la lenteur et la feinte.

Tandis que les pensées se chevauchaient dans son esprit, il y eut tout à coup un fracas assourdissant, en même temps qu'un violent coup de poing le frappait à l'omoplate gauche et qu'une douleur fulgurante le traversait.

Il voulut bondir sur ses pieds, mais ses genoux fléchirent et il s'écroula lourdement au fond du trou, la figure dans l'or et les cailloux, les jambes repliées sous lui en raison de l'étroitesse des parois. Il eut quelques soubresauts, puis ne bougea plus. L'air s'exhala lentement de sa poitrine et il resta là, masse inerte, sur son or inutile.

Penché sur le bord du trou, l'autre resta un long moment aux aguets, examinant attentivement le corps immobile, son revolver fumant pointé vers lui, dans l'attente d'une ruse toujours possible. Il resta longtemps immobile.

Au bout de plusieurs minutes, l'autre commença à se rassurer. Sans quitter le cadavre des yeux, il s'assit sur le sol, au bord du trou, posa son arme sur ses genoux et, lentement, fouilla dans sa poche pour en tirer une feuille de papier et quelques pincées de tabac. L'œil toujours attentif, il roula longuement une mince cigarette et l'alluma avec son briquet à amadou.

Il fuma, lentement, posément, sans hâte, savourant chaque bouffée.

Quand la cigarette fut finie, il en roula une autre et la ralluma au mégot. Les minutes passaient, l'homme ne semblait pas pressé. Il avait attendu suffisamment longtemps pour ne pas prendre de risques. Il prit une pierre et la jeta sur le cadavre. L'absence totale de réaction parut le convaincre. Il attendit encore plusieurs minutes, tirant sur sa cigarette, puis, enfin, jetant le mégot presque consumé, il se laissa glisser dans le trou, une main de chaque côté, mais tenant toujours son revolver, sans quitter le corps du mineur des yeux.

Il se laissa descendre à la force du poignet et, quand ses pieds ne furent plus qu'à trente centimètres du sol, il lâcha les mains et sauta.

Au moment où l'homme sautait, le cadavre se redressa d'un bond et son bras se détendit avec la rapidité de la foudre, fauchant les jambes de l'autre. A l'instant même, l'homme pressa la détente : dans cet espace restreint, la détonation fut épouvantable et la fumée remplit le trou. L'homme, déséquilibré, roula à terre : Bill était déjà sur lui, l'écrasant sous son poids et lui tenant la main droite. Une troisième détonation retentit, la balle se perdit dans la terre, faisant choir des gravats et des fragments de roche. Les deux hommes se battaient sauvagement, chacun essayant de diriger le revolver sur l'autre. L'agresseur commençait à y voir plus clair quand tout à coup il fut aveuglé : Bill lui avait écrasé une poignée de terre sur les yeux. Il poussa un cri et porta la main à son visage, lâchant son arme.

Le chercheur d'or tira coup sur coup tout le

chargeur. La fumée remplit le trou de nouveau. Puis le revolver vide, Bill le jeta à terre. Il tremblait comme une feuille, les jambes molles, aux trois quarts sourd, et s'assit sur les jambes du mort. « Salopard ! bégaya-t-il en claquant des dents, sale putois ! Me suivre, comme ça, pas à pas, me laisser faire tout le boulot et m'abattre comme ça, dans le dos, salopard ! »

Tremblant de tout son corps de rage et d'énervement, après l'interminable attente en faisant le mort, il regarda le visage de l'autre; la terre et le gravier dans ses yeux morts.

« Salopard ! Te voilà, hein, espèce de sale putois ! Me tirer dans le dos, dans le dos, salopard ! »

Puis, avec un froncement de sourcils, il ouvrit sa chemise et examina sa blessure de la main, dos et poitrine.

« Finalement, dit-il, ça aurait pu être pire. La balle a traversé et je n'ai pas trop de mal. Il a dû relever la main en tirant, sinon j'y passais d'un seul coup, le sale putois ! Seulement voilà, continua-t-il, en se calmant peu à peu, tout à l'heure, je vais être raide comme un morceau de bois. Il faut que je me fasse un pansement et que je file d'ici rapidement.»

Il ressortit tant bien que mal du trou, prenant appui de ses souliers ferrés sur la tête du mort.

Une demi-heure plus tard, il revint, tirant le cheval de charge par la bride. Sous sa chemise ouverte, il avait un bandage de fortune. Son bras était lourd et raide, mais il pouvait à peu près s'en servir. Il passa une corde sous les bras du mort et encouragea son cheval de la voix. Le cadavre remonté, il descendit dans le trou et se mit à récolter les pépites, frissonnant de temps en temps en répétant : « Sale putois ! Salopard ! Me tirer dans le dos ! »

Quand les pépites furent empaquetées dans des couvertures, il jaugea sa récolte d'un œil expert :

« Il y en a bien pour deux cents kilos ! Mettons cent kilos pour la pierraille et le déchet, restent cent kilos d'or. Soit quarante mille dollars, au bas mot. Quarante mille dollars, Bill, rien qu'à toi, et bien gagnés ! »

Il passa sa main valide dans ses cheveux avec satisfaction, puis, fronçant le sourcil, suivit du doigt une entaille qu'il ne connaissait pas dans son cuir chevelu. La seconde balle l'avait labouré sur plusieurs centimètres. Sa colère revint.

Furieux, il donna des coups de pieds au cadavre déjà raide :

« C'est encore toi qui m'as fait cela, hein, salopard ? Eh bien, en fin de compte, c'est moi qui vais t'enterrer, espèce de putois ! Tu m'aurais enterré, toi ? Sûr que non ! »

Il traîna le cadavre jusqu'au trou et l'y fit basculer.

Le mort heurta le fond avec un bruit sourd et resta le visage vers la lumière, en raison de l'étroitesse du trou, les yeux et la bouche ouverts et souillés de terre.

« Ah ! Tu m'as tiré dans le dos, hein ? »

Comme il put, il ramena la terre et boucha le trou.

Puis il chargea le cheval qui pliait sous le poids du métal.

Revenu à son campement, il répartit de son mieux les charges, en transférant une partie sur son cheval de selle. Il renonça finalement à emporter son équipement en entier, abandonna son pic, sa pioche, sa batée, certains éléments de sa batterie de cuisine et même quelques provisions.

Vers midi, il se mit en route, guidant ses chevaux vers les viornes qui cachaient l'accès du vallon. Le cheval de charge glissa et s'abattit. Il lui fallut le décharger pour lui permettre de se relever. Quand tout fut de nouveau en place et que les deux animaux eurent franchi le rideau de lianes et de viornes, il revint en arrière, jetant un regard rancunier sur le vallon et cria encore :

« Adieu, salopard ! »

Puis, tandis que la chanson de l'homme mourait dans le lointain, le vallon reprit sa tranquillité, ne gardant comme témoignage que quelques empreintes de sabots et un grand « V » de terre bouleversée dont le sommet était une tombe.

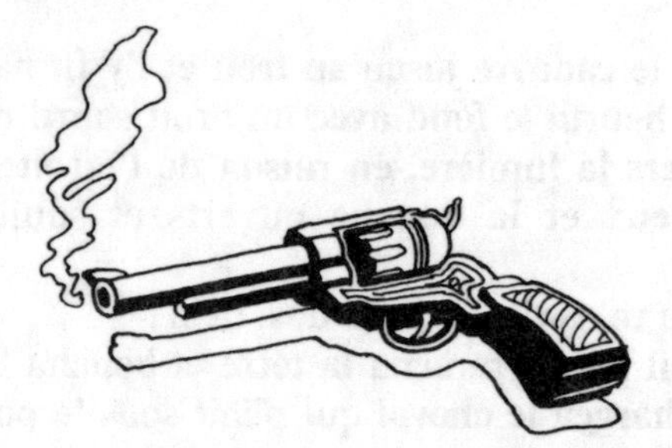

LA PASSION DE VIVRE

Le long de la berge boueuse, deux hommes descendaient vers la rivière . Ils avaient l'air à demi épuisés et boitaient l'un et l'autre. Leur visage tiré avait cette expression de patience et de résignation que donnent les privations longuement endurées. Tous deux étaient lourdement chargés, avec des sacs sur le dos, surmontés de couvertures roulées et soutenus par des sangles. L'une des courroies passait sur le front, répartissant la lourde charge entre les épaules, la tête et les reins. Chacun portait aussi un fusil. Ils marchaient sans rien dire depuis des heures, les épaules contractées sous la charge, les yeux rivés à terre.

« Si seulement nous avions des cartouches, grommela celui qui venait le second, après s'être raclé la gorge. Dire que tout notre stock est enfoui là-bas, dans la cache... »

Sa voix fatiguée n'élevait aucun écho dans la vallée encaissée. L'autre, qui s'engageait péniblement dans le gué, pataugeant dans l'eau glacée, ne tourna pas la tête et ne répondit même pas, uniquement préoccupé de l'endroit où il posait les pieds, dans le courant écumant et rapide, trouble de chaux délayée.

Son compagnon suivit le même chemin, posant avec précaution les pieds entre les rochers.

L'eau était tellement froide qu'ils ne sentaient plus leurs pieds dans les mocassins de buffle. Seules, leurs chevilles leur faisaient mal.

Bientôt, ils eurent de l'eau glacée jusqu'aux genoux.

Celui qui venait derrière était à peu près au milieu du courant quand il glissa sur une pierre lisse et faillit tomber. D'un violent coup de reins, il rétablit son équilibre, mais resta un pied en l'air, avec une grimace de douleur. Il essaya de reposer le pied et poussa un cri. Il sentit sa tête tourner et tendit une main comme pour chercher un point d'appui. Son étourdissement passé, il avança précautionneusement le pied, le posa au fond et manqua de tomber de nouveau.

Un instant, il resta ainsi sans rien dire, comme s'il réfléchissait à ce qui lui était arrivé, puis il cria à l'adresse de son camarade qui, sorti de l'eau, grimpait déjà la pente en face, et qui ne s'était aperçu de rien :

« Bill, eh! Bill! Je crois que j'ai attrapé une entorse ! »

Bill ne se retourna même pas et continua son chemin à travers les éboulis de la pente, péniblement.

L'autre resta en arrière, le regardant s'éloigner sans

plus rien dire, fixant la silhouette qui diminuait avec des yeux hébétés. Son visage n'exprimait aucun sentiment. Il regardait s'éloigner son compagnon, voilà tout.

Quand Bill fut à mi-pente, l'homme, qui était encore au milieu du courant, ouvrit soudain la bouche et poussa un cri sauvage :

« Bill ! »

Ses lèvres remuèrent un peu et ce fut tout, rien que cet appel de détresse. L'autre continua de monter lentement la pente.

Il le suivit des yeux d'un air absent, jusqu'au moment où Bill eut atteint la crête et disparu de l'autre côté.

Alors, il détourna les yeux et regarda lentement autour de lui ce désert où il se trouvait maintenant seul, avec sa jambe qui refusait de le porter.

Au-delà de la gorge, le soleil avait l'air de couver derrière les brumes, vaguement rougeâtre, en donnant au brouillard un aspect presque tangible de masse épaisse et cotonneuse qui arrêtait la vue et étouffait les sons.

L'homme porta tout son poids sur l'autre jambe et tira sa montre. Il était quatre heures, le soleil devait donc approximativement se trouver au sud-est. Approximativement, car il ignorait à une semaine près la date exacte. On devait être entre les derniers jours de juillet et les premiers jours d'août.

Vers le sud, il savait que devait se trouver quelque part le lac de l'Ours, derrière ces chaînes de collines lugubres. Par là se trouvait aussi le cercle arctique, terrible ligne invisible qui tranchait les forêts désertes du Nord canadien, sur les cartes.

La rivière dans laquelle il se trouvait encore devait être un affluent de la Coppermine, qui se jette au nord dans le golfe du Couronnement, dans l'océan Glacial. Non, il n'y était jamais allé, mais, une fois, il avait eu l'occasion d'examiner longuement les cartes de la Compagnie de la Baie d'Hudson.

Il regarda encore autour de lui. Ce n'était pas un paysage gai. Les collines basses, à végétation rase, fermaient à perte de vue l'horizon, comme un immense cercle gris. Même pas hostile, indifférent.

Il n'y avait aucun arbre, aucun buisson, même pas d'herbe. Rien que cette végétation rase et grise qui tremblait au vent et cette immensité désolée que rien ne rompait.

« Bill ! murmura-t-il, Bill ! »

Il eut un accès de frissons et se mit à trembler. Son fusil échappa à sa main et tomba dans l'eau. Cela le ramena au sens des réalités. Luttant contre la panique, il tâtonna dans l'eau glacée à la recherche de son arme. Il finit par mettre la main dessus et la sortit de l'eau. Il déplaça son fardeau sur l'épaule gauche, pour alléger le poids portant sur sa cheville et, appuyé sur son fusil, il s'avança tant bien que mal vers la berge, grimaçant de douleur.

Arrivé sur la berge, il ne s'arrêta pas. Au contraire, avec une détermination proche de la folie, il grimpa la pente caillouteuse, remontant les éboulis sur les traces de Bill.

Parvenu à la crête, il souffla. Derrière, il y avait une

autre vallée, toute semblable à la première, peu profonde et désolée. Et au-delà, d'autres collines mornes et désertes.

De nouveau, il se sentit envahir par la peur. Mais il fit passer son sac encore un peu plus vers la gauche et commença à descendre la pente.

Au fond de la vallée, il y avait de l'eau stagnante, dissimulée par une sorte de mousse épaisse. Quand on marchait dessus, on aurait dit une éponge, l'eau giclait, avec un bruit de succion sous les semelles trempées, comme si la mousse les avait laissées partir à regret.

Il continua son chemin pas à pas, suivant les traces de l'autre homme, zigzaguant vers les rochers qui affleuraient comme autant d'îles solides entre les sphaignes profondes et gorgées d'eau.

Il était seul, mais il savait le chemin. Il savait que, plus loin, il arriverait dans une zone où se trouvaient d'innombrables squelettes de sapins morts, rabougris et minuscules, ce que les Indiens appelaient le « pays des petits bâtons », le titchinni-chilie. Il y avait là un petit lac, avec une rivière transparente qui le traversait. Il y avait là des roseaux, aussi, cela il s'en souvenait.

Enfin, il devrait suivre la rivière jusqu'à la première source sortant de la colline, puis grimper la colline elle-même et la franchir. Là, il y aurait une autre source, qui devenait un torrent et coulait vers l'est. Il faudrait le longer jusqu'à ce qu'il se jette dans le fleuve Dease. Là, il trouverait la cache, sous le canot renversé, dissimulée par des pierres. Dans la cache, il trouverait d'abord des cartouches, beaucoup de cartouches pour sa carabine, ainsi que des lignes et des hameçons, et même un petit filet, tout ce qu'il fallait pour attraper du poisson ou du gibier. Et puis il y aurait de la farine. Pas beaucoup, mais un petit peu quand même. Et le lard fumé qui restait. Enfin, un peu de lard, et quelques haricots. La pensée de ces merveilles faisait passer devant ses yeux des visions de soupes aux haricots fumantes et de galettes épaisses cuisant dans la poêle avec la bonne graisse chaude qui les imprégnerait, et qu'il croyait sentir couler sur son menton, avec des petits rires de satisfaction.

Mais la vision passait et il se retrouvait dans les collines grises, couvertes de végétation rase. Oui, mais Bill l'attendrait à la cache, et il aurait fait du thé, du bon thé bien fort et bien noir, très bon. Il n'y aurait plus alors qu'à descendre à la pagaie vers le sud, tranquillement, avec sa jambe étendue au fond du canot, en suivant la Dease jusqu'au lac de l'Ours, puis se serait le Mackenzie et ils le descendraient toujours vers le sud, pendant que l'hiver leur courrait après sans pouvoir les rattraper et que, derrière eux, les glaces commenceraient à prendre dans les petites anses. Mais cela n'aurait plus d'importance, puisqu'il y aurait de la soupe aux haricots. Et puis, de toute façon, arrivés à la baie d'Hudson, ils arriveraient au poste de la Compagnie, là où il y a toujours beaucoup de provisions, et aussi du bois à brûler. Et il riait dans sa barbe, marchant toujours avec application, portant le moins possible sur sa jambe abîmée. Il était sûr que Bill l'attendrait à la cache. Ce ne serait pas possible autrement, n'est-ce pas ? Oui, oui, il fallait penser cela, sinon, cela n'aurait servi à rien de lutter, hein ? Autant valait se coucher tout de suite pour mourir. Et, tandis que le soleil rouge et énorme descendait lentement derrière les brumes laiteuses, il avançait pas à pas, appuyé sur sa carabine, en imaginant toutes les bonnes choses qu'il y avait dans la cache de vivres et des formidables quantités de nourriture qu'ils trouveraient au comptoir de la Compagnie de la Baie d'Hudson.

Depuis deux jours, il n'avait pas mangé. Depuis bien plus longtemps encore, il n'avait pas mangé à sa faim, parce qu'il avait fallu se rationner. Et il avait faim, oui, très faim, depuis deux jours. Souvent, il se baissait et ramassait des baies pâles, des baies de *muskeg*. Il les mâchait soigneusement et les avalait. C'est un peu comme un petit grain de raisin insipide, avec un pépin dur et amer au milieu. Mais ce n'est que de l'eau qui éclate dans la bouche. Il savait très bien que le muskeg n'est absolument pas nourrissant, mais il mâchait patiemment les baies, avec un espoir plus fort que l'expérience.

Vers neuf heures du soir, il commença à faire sombre. Il se cogna douloureusement le pied contre une roche qui affleurait. Il grimaça et se laissa tomber par terre, épuisé. Puis, il se mit sur le côté et, lentement, se dégagea des courroies de son sac. Puis il s'assit, maladroitement. Il ne faisait pas encore tout à fait nuit, et, dans les dernières lueurs du crépuscule, il se traîna parmi les rochers pour chercher des plaques de mousse sèche. Quand il en eut ramassé un bon paquet, il alluma du feu et fit bouillir de l'eau dans sa bouilloire de fer-blanc, noircie par l'usage.

Il fouilla dans son sac et, frappé d'une idée subite, il se mit à compter ses allumettes. Il en avait soixante-sept. Il les recompta trois fois, pour être sûr. Il les divisa en trois petits paquets qu'il enveloppa de papier huilé. Il en mit un dans sa blague à tabac, vide depuis longtemps, et un autre dans son chapeau. Le troisième, il le mit sous sa chemise, contre sa peau. Soixante-sept allumettes. Soixante-sept ou soixante-six ? Pris de terreur, il les recompta. Il en avait bien soixante-sept.

Le feu brûlait. Il sécha ses chaussures trempées. Ou plutôt ce qui en restait ; elles étaient ouvertes sur le côté et la semelle usée avait des trous. Ses chaussettes, taillées dans une vieille couverture, étaient trouées aussi par endroits et, avec l'eau, il avait gagné des ampoules qui s'étaient ouvertes et saignaient.

Quant à sa cheville, elle avait grossi du double et l'élançait horriblement, toute rouge et congestionnée. Il coupa une longue bande dans l'une de ses deux couvertures et emmaillota soigneusement sa cheville. Il découpa aussi d'autres bandes, qu'il entortilla autour de ses pieds. Puis, il but le pot d'eau chaude, remonta sa montre et se roula dans la couverture.

Il resta écrasé de sommeil jusqu'à six heures. La courte obscurité était venue et était partie, et le soleil s'était levé. Ou plutôt le jour, car le ciel était couvert de nuages gris et bas.

Il s'éveilla couché sur le dos. Il ne sut pas où il était : il sut qu'il avait faim. Comme il se relevait

péniblement sur un coude, il entendit brusquement une sorte de ronflement sonore derrière lui et aperçut un caribou, un grand mâle, qui le regardait avec une curiosité méfiante. Il n'était pas à plus de vingt mètres. Doucement, l'homme prit son fusil, arma le chien, épaula, visa et appuya sur la détente. Il y eut le claquement sec du chien retombant à vide, et le caribou s'enfuit au galop en rejetant ses bois en arrière. Ses sabots claquèrent de plus en plus faiblement sur les rochers.

Plein de rage, l'homme rejeta la carabine inutile.

Il gémit à haute voix en essayant de se relever. Il mit beaucoup de temps. Ses jointures paraissaient rouillées, chaque articulation était douloureuse. Sans parler de sa cheville. Il lui fallut bien deux ou trois minutes pour pouvoir se tenir debout.

Il clopina vers une petite hauteur et examina le paysage. Il n'y avait aucun arbre, aucun buisson, aucune broussaille. Rien que cette immense étendue désolée et grise de végétation rase, avec de temps en temps les touffes de muskeg, un peu plus nombreuses, par ici. De la mousse grise à perte de vue, des rochers gris, des étangs et des ruisseaux gris. Il n'y avait pas de soleil, et il n'y en aurait pas de la journée. Et il n'arrivait pas à se rappeler quelle direction il avait prise la veille pour arriver là. Mais il n'était pas perdu, il le savait. Bientôt, il serait au « pays des petits bâtons », oui, c'était sûrement un peu sur la gauche, pas très loin. Peut-être derrière ces quelques collines, qui sait ?

Il revint à son camp rudimentaire pour reprendre son fardeau. Il vérifia que ses trois paquets d'allumettes étaient bien là, mais il ne les recompta pas. Il remit de l'ordre dans ses affaires et hésita devant son sac en peau d'élan. Il le soupesa, songeur. C'était un petit sac boudiné qui pesait bien quinze livres. Il le savait. Bill avait le même. Il n'était pas gros, ce petit sac, mais il pesait lourd. Autant que le reste de son paquetage. Il le mit de côté et roula ses couvertures. Puis, il reprit le sac d'un geste brusque, avec un regard de méfiance vers l'immense solitude qui l'entourait.

Et quand il se remit en route, en boitant, le sac était dans son paquetage.

Il alla sur sa gauche pour rattraper le chemin perdu. Il boitait bas et sa cheville le faisait terriblement souffrir, mais moins, cependant, que son estomac. De temps en temps, ses doigts se crispaient sur son épigastre, massant les crampes qui le mordaient sans trêve. C'était difficile de fixer son attention sur le chemin à suivre pour arriver au « pays des petits bâtons ». Les baies de muskeg ne pouvaient rien contre ces crampes, et il avait maintenant la bouche enflammée d'avoir mâché les pépins amers. Sa langue et son palais étaient enflés.

Dans une vallée assez plate, des coqs de bruyère, de ceux que l'on appelle *ptarmigans*, se levèrent à son approche, avec un grand bruit d'ailes, en poussant des cris d'appel : « krritt ! krritt ! krritt ! ». Il chercha des pierres pour leur lancer, mais ne réussit pas à les atteindre. Il se débarrassa de son paquetage et tenta de les poursuivre, de roche en roche. Les pierres coupantes déchiraient ses genoux à travers la grosse toile de son pantalon, mais ces écorchures n'étaient rien en comparaison de ses crampes d'estomac. Il rampa dans la mousse gorgée d'eau, se trempant de nouveau, sans même s'en apercevoir, poursuivant fébrilement sa chasse. Et toujours les ptarmigans se levaient à son approche, avec leurs exaspérants « krritt ! kritt ! », pour se reposer un peu plus loin. Fou de rage, il se mit à leur jeter aussi des « krritt ! krritt ! ». Et, en rampant toujours, il tomba en plein sur un ptarmigan qui devait dormir. Il ne l'aperçut que quand l'oiseau effaré s'envola sous son nez, lui fouettant le visage de ses ailes. Avec un cri, il se jeta dessus, les doigts en griffes, et le saisit par la queue. Trois plumes restèrent entre ses doigts. Il resta longtemps à les regarder, puis, avec lassitude, revint prendre son paquetage.

Au fur et à mesure qu'il avançait, le gibier devenait moins rare. Une troupe de caribous, d'une vingtaine de têtes, passa au petit galop, à une demi-portée de carabine. Fou de faim, il les regarda avec haine s'éloigner. Vers midi, il aperçut un renard noir qui venait de son côté: merveille ! le renard tenait dans sa gueule un ptarmigan ! L'homme se dressa, agitant les bras, avec un terrible hurlement sauvage : le renard terrifié fit un bond et s'enfuit comme une flèche, mais il ne lâcha pas le ptarmigan.

L'après-midi était bien avancé quand il arriva à un ruisseau, qu'il suivit. C'était un ruisseau laiteux, blanc de chaux, qui murmurait entre des bouquets de joncs. Il arracha ces joncs: les bulbes ressemblaient à de jeunes pousses d'oignon, gros comme des clous à peine.

Il mordit dedans à pleine dents et mâcha. C'était un peu amer et c'était plein de fibres ligneuses, dures et résistantes, à peine entourées d'un peu de chair molle, comme le muskeg.

C'était mieux que rien, cependant. A genoux, il fouilla les joncs, mâchant la boue en même temps que les bulbes.

Il aurait donné tout au monde pour se reposer, mais la faim bien plus que le désir du « pays des petits bâtons », le poussait de l'avant. Dans les mares, il chercha des grenouilles, des têtards, des vers, fouillant la vase avec les mains, tout en sachant que,sous ces latitudes, il n'y a ni grenouilles ni vers, à cause du sol gelé.

Le jour baissait quand il découvrit un poisson dans une mare, un poisson minuscule. Il plongea la main vivement dans l'eau. le manqua, chercha des deux mains, remuant la vase blanchâtre du fond, essayant de repousser vers le bord le poisson qui filait en zigzags affolés. Quand l'eau devint trop trouble pour qu'il pût voir quelque chose, il attendit patiemment que la vase fût retombée.

Puis, il prit sa bouilloire en fer-blanc, et entreprit de vider la mare. Tout d'abord, il rejeta l'eau trop près, en sorte qu'elle retombait dans la flaque. Il dut se reposer, car son cœur battait à grands coups dans sa poitrine, avant de reprendre son travail plus calmement et avec plus de succès. Au bout d'une demi-heure, la mare était à sec, mais le poisson n'y était plus.

En cherchant, il découvrit une fente entre les pierres, qui faisait communiquer la mare avec une autre, voisine mais plus grande, qu'il aurait mis un jour et une nuit à vider. Le poisson s'était échappé par cette crevasse minuscule qu'il aurait pu boucher avec un caillou.

Assis par terre, il en pleura de chagrin et de faim, à haute voix, comme un enfant. Longtemps après, il était encore secoué de gros sanglots qui lui nouaient la gorge, sans larmes.

La nuit était tombée; il alluma un feu de mousse et but de l'eau chaude. Il ne sentait presque plus les élancements de sa cheville tant ils étaient continus. Il ne sentait plus que l'abominable crampe de son estomac. Il s'endormit dans ses couvertures humides et rêva de festins gargantuesques, de monceaux de viandes dégoulinant de sauces

Au matin, il se réveilla transi de froid et la tête pleine de vertiges. Les nuages du ciel étaient plus sombres et couraient plus rapidement. Le vent faisait vibrer les aigrettes des herbes rases, ridant l'eau blanchâtre des mares.

Bientôt, il se mit à tomber une sorte de neige à demi fondue qui finit par s'entasser sur le sol. Son feu s'éteignit et la mousse était trempée.

Machinalement, il reboucla les courroies de son paquetage et se redressa pour partir. Il ne savait plus vers où. Il ne savait plus où était le « pays des petits bâtons », où était la cache, il avait oublié Bill, il marcha au hasard, torturé par la faim, se laissant guider par le fond des petites vallées, mâchant les pousses de joncs qu'il rencontrait. Il mâcha aussi des herbes acides qui dépassaient de la couche de neige. Il marcha toute la journée, comme un somnambule, et s'endormit le soir d'un sommeil de brute, sans feu, sans eau chaude, dans sa couverture trempée par la pluie qui s'était remise à tomber, faisant fondre la neige.

Au matin, son estomac paraissait engourdi, il ne le sentait plus avec autant d'intensité. Il se sentait faible, mais non plus torturé. Sa cheville lui faisait toujours aussi mal, mais de la même façon engourdie, comme nonchalante. Il sentait en lui une souffrance sourde, mais cela ne le tourmentait pas plus que cela. Un peu de lucidité lui était revenue et il se remit à penser au « pays des petits bâtons ». Avant de partir, il déchira en bandes le reste d'une de ses couvertures et s'en entoura les pieds, rejetant les mocassins délabrés et racornis qui lui ensanglantaient les chevilles. Cela lui fut une espèce de soulagement, surtout pour sa cheville foulée, dont l'enflure n'aurait guère pu être pire.

En renouant son paquetage, il soupesa longtemps le sac en peau d'élan, puis finit par l'emporter.

La pluie avait fait fondre la neige, mais le soleil restait invisible. Il essaya de s'orienter. Sa marche au hasard avait dû le déporter sur la gauche, pensa-t-il, il obliqua donc vers la droite pour reprendre la bonne direction.

Il constata bientôt que, s'il souffrait moins, il était beaucoup plus faible. Il lui fallait s'arrêter souvent pour reprendre haleine. Sa langue lui semblait sèche et enflée, et comme râpeuse ou couverte de poil. De plus, il avait dans la bouche un vilain goût amer.

Puis son cœur commença à lui donner des inquiétudes. Après quelques minutes de marche, ou lorsqu'il gravissait des pentes, il se mettait à battre à grands coups, puis à bondir dans sa poitrine, en palpitations affolées, accompagnées de vertiges.

Vers la mi-journée, il tomba sur une mare qui contenait deux petits poissons. C'était une grande mare, impossible à vider. Mais, plus calme, ou plus affaibli, il arriva à les coincer l'un après l'autre dans un angle, avec sa gamelle. Ils étaient grands comme le doigt, mais lui n'avait plus faim: son estomac semblait endormi. Il mâcha les poissons crus longuement, sans aucun plaisir, comme une chose nécessaire, destinée à prolonger la vie.

Le soir, il attrapa encore trois poissons, deux petits et un plus gros. Il mangea les deux petits et garda l'autre pour le lendemain.

Le vent avait séché un peu la mousse, en sorte qu'il put allumer un petit feu, faire chauffer de l'eau et la boire.

Il avait dû faire quinze kilomètres dans toute sa journée.

Au matin, il fit bouillir le poisson dans l'eau et avala le tout. Il ne fit pas plus de sept kilomètres, ce jour-là, mais il ne s'en soucia pas. Son estomac ne le tourmentait plus du tout et, curieusement, il avait l'impression de se voir marcher.

Le pays changeait peu à peu, autour de lui. Les caribous étaient plus nombreux, et il entendait de temps en temps le hurlement des loups. Trois d'entre eux s'enfuirent devant lui.

Une autre nuit, suivie d'un autre matin. Comme il

était capable de réfléchir, il regarda longuement son petit sac en peau d'élan et finit par l'ouvrir. Le sac laissa s'écouler dans sa main un filet de poudre d'or et de pépites. Il le contempla longtemps et finit par partager son trésor en deux moitiés. Il en remit une dans son sac et cacha l'autre sous un rocher, dans un morceau de couverture.

Il tailla encore plusieurs bandes de couverture pour mettre à ses pieds, car cela s'usait vite. Mais il garda sa carabine, parce qu'il y avait beaucoup de cartouches dans la cache du fleuve Dease.

Toute cette journée-là, il y eut beaucoup de brouillard et il perdit sa direction. Cela n'avait d'ailleurs pas une grande importance, étant donné que son estomac semblait s'être réveillé et qu'une violente crampe le prenait de temps en temps, ce qui suffisait à occuper sa pensée vacillante. Il serrait le plus fort possible ses deux poings sous ses côtes, assailli de vertiges qui allaient jusqu'à l'empêcher de voir. Il titubait et parfois tombait. C'est ainsi qu'il s'écroula sur un nid de ptarmigan où quatre petits de quelques jours piaillaient. Il les mangea gloutonnement, instinctivement, sans s'occuper de leurs cris. La mère ptarmigan arriva aussitôt, criant et défendant sa nichée à grands coups d'ailes. Il se servit de son fusil comme d'une massue pour essayer de l'assommer et, par un hasard extraordinaire, lui cassa une aile.

Alors, elle s'enfuit en voletant, et il se mit à la poursuivre, lui lançant des pierres, poussant des cris et proférant des injures. Quand les vertiges le reprenaient, il se frottait les yeux, soudain immobile. S'il tombait, il se ramassait en grognant.

A la suite du ptarmigan blessé, il arriva dans le fond d'une vallée marécageuse et vit des empreintes dans la boue molle et la mousse spongieuse. Ce ne pouvait être les siennes, il en était presque sûr, ce devait être celles de Bill. Mais il ne put les examiner, car le ptarmigan s'enfuyait. Il décida de revenir quand il aurait attrapé l'oiseau.

Le ptarmigan se fatiguait, avec son aile pendante. Lui aussi. De temps en temps, l'oiseau se laissait tomber, haletant, regardant l'homme avec terreur. Mais il lui fallait s'arrêter aussi, et, pendant ce temps, l'oiseau reprenait des forces. Quand la nuit tomba, la mère ptarmigan s'échappa définitivement.

Il tomba là ou il était, s'entamant la joue sur un roc aigu.

Mais, avant de s'endormir, d'un sommeil lourd, il remonta sa montre.

Le brouillard s'épaissit encore le jour suivant. Il n'essaya même pas de retrouver les traces de Bill. Quelle importance ? Il se demandait si Bill était perdu, lui aussi.

Il ne pouvait plus porter son paquetage. Il partagea encore en deux l'or qui lui restait, mais cette fois il se contenta de verser la moitié du sac par terre. Pendant l'après-midi, il jeta le reste avec le sac dans une mare. Il n'avait plus qu'une demi-couverture, sa carabine, son couteau et sa bouilloire.

Il commençait à avoir des idées fixes. Il croyait bien se souvenir qu'il restait une unique cartouche dans le magasin de son arme. Il savait aussi très bien que c'était faux. Mais l'hallucination résistait. Il résista aussi pendant des heures, puis n'y tint plus et vérifia le chargeur. Non, il était tout à fait vide. Il fut aussi désolé que s'il avait cru réellement y trouver une cartouche.

Une demi-heure plus tard, il recommença à y croire, résista, vérifia, se désola. Et recommença une demi-heure plus tard.

Une vision incroyable, sortant du brouillard, le tira tout à coup de son engourdissement. Devant lui se tenait un cheval. Pas un grand cheval, mais un cheval quand même. Il chancela comme un homme ivre. Il frotta ses yeux, pour faire disparaître ces désagréables points brillants qui dansaient devant lui sans cesse dans le brouillard. Ce n'était pas un cheval, c'était un ours.

Un grand ours brun qui l'examinait avec une attention soupçonneuse. Il épaula machinalement sa carabine,puis la laissa tomber et sortit de sa gaine de perles le couteau de chasse qui lui battait la cuisse. Un ours, c'était de la viande! Du sang! De la vie! Fébrilement, il passa le pouce sur le tranchant de la lame, elle était affilée comme un rasoir.

Il plia sur les jarrets, prêt à attaquer la bête, mais son cœur, à grands coups, lui rappela aussitôt la folie d'un tel projet.

Brusquement, il eut peur : et si l'ours l'attaquait ? Les yeux écarquillés, il se redressa, serrant le couteau.

L'ours fit lourdement deux pas en avant et se redressa sur ses pattes de derrière en grognant. Si l'homme s'enfuyait, la chasse commencerait. Mais l'homme ne s'enfuit pas ; au contraire, il se tenait debout en grognant aussi férocement que l'ours, avec l'énergie farouche que donne le désespoir.

L'ours jugea plus prudent de battre en retraite devant cette étrange créature. Il retomba lourdement sur ses quatre pattes et s'éloigna au petit trot en poussant des grognements de menace.

L'homme resta immobile jusqu'à ce que le plantigrade ait disparu ; alors seulement il céda et fut pris de violents tremblements. Il s'assit un moment sur la mousse humide, le cœur battant de façon désordonnée, et se reposa un moment.

Plus calme, il reprit péniblement son chemin. Une nouvelle crainte le tourmentait, maintenant : les loups. On les entendait partout, dans le lointain ou plus proches. Faudrait-il que ce misérable corps fût anéanti sauvagement, après tant d'efforts ?

De temps à autre, il en apercevait, qui s'arrêtaient pour le regarder, par deux ou trois, puis s'éloignaient. Ils n'étaient pas en nombre suffisant pour attaquer cette créature inconnue qui pouvait aussi bien mordre ou blesser, tandis que les caribous pullulaient et se défendaient plutôt en fuyant.

Vers la fin de l'après-midi, il tomba sur des os éparpillés, rongés de frais par les loups. Les restes d'un caribou.

Il regarda les os décharnés et rongés, encore roses de cellules animales vivantes. Était-il possible, Seigneur, que ses propres os fussent semblables avant la fin de la journée ?

Ses réflexions ne durèrent guère. Assis dans la mousse gonflée d'eau, il essayait de mâcher un os, suçant ces parcelles de vie qui y adhéraient encore. Il n'y avait plus de chair à manger, bien sûr, mais le goût fugitif de la viande et du sang le rendit fou. Il essaya de broyer les os entre ses dents, faisant sauter des éclats d'os spongieux et des éclats de dents.

Ensuite, avec des grognements, il cassa les os entre des pierres, en fit une bouillie de moelle et d'os qu'il avala pêle-mêle, suçant en même temps ses doigts qu'il avait écrasés sous la pierre, dans sa hâte. Il ne pensa même pas à s'étonner de ne pas souffrir de ces blessures.

Puis, les jours suivants, ce fut de la neige et de la pluie.

Il ne savait plus quand il dormait, quand il repartait, il marchait devant lui, sans rien voir, butant contre les pierres, enfonçant dans la boue molle des vallées humides, avançant, avançant.

Il n'avait plus de volonté ; ce qui le poussait à marcher sans cesse, c'était l'instinct de survie, une sorte de rage de vivre de son corps révolté, tirant sans cesse de lui-même des forces que l'on aurait pu croire taries depuis longtemps. Il avançait comme une mécanique, le pied droit, puis le pied gauche, puis le pied droit, tombant, se relevant, le pied droit...

Il mâchait interminablement les fragments d'os qu'il avait soigneusement emportés jusqu'au dernier.

En tant qu'homme il avait cessé de lutter, son corps le dirigeait à sa guise, l'estomac engourdi, les jambes se relevant avec des mouvements saccadés et machinaux, les yeux écarquillés sur des visions paradisiaques. Il n'allait plus nulle part ; instinctivement il suivait le cours d'un fleuve qui coulait lentement dans une large vallée. Il ne voyait même pas le fleuve, ni la vallée. Il marchait.

Il se réveilla soudain lucide. Il était couché sur le dos, près d'un rocher. Il entendait distinctement, avec une ouïe aiguë, le beuglement de jeunes caribous pâturant au loin.

De vagues souvenirs se mêlaient, de pluie, de neige. Il avait dû y avoir une tempête. Avait-elle duré deux heures ? Deux semaines ? Cela avait si peu d'importance...

Le soleil lui chauffait le corps et le visage. Il cligna les yeux en pensant qu'il allait faire une belle journée.

Au bout d'un long moment, il roula avec peine sur un côté. Il regarda le fleuve qui coulait lentement. Où était-il ? Les collines qui se dressaient au-delà du cours d'eau étaient moins hautes qu'auparavant, plus désolées aussi, plus froides. Il suivit le cours du fleuve des yeux, le vit sans étonnement se jeter, vers l'horizon, dans une mer calme et brillante, comme une immense flaque d'étain. Il contempla cette hallucination sans émotion. Pourquoi pas ? Sur la mer, il y avait même un navire à l'ancre, tout petit dans le lointain. Pourquoi pas ? Il ferma les yeux, puis les rouvrit : la vision persistait. Il en fut un peu ému. Pourtant, non, il n'y avait ni mer ni navire au cœur de ce pays stérile et effroyablement désolé, de même qu'il savait qu'il n'y aurait pas eu de cartouche dans le magasin de sa carabine.

Derrière lui, un bruit lui fit tourner la tête. Une sorte de grognement étranglé, quelque chose entre un soupir et une toux gargouillante. Très lentement, à cause de son extrême faiblesse, il roula sur lui-même, regarda de l'autre côté. Il ne voyait rien, mais il entendit de nouveau le grognement et la toux étranglée. Le bruit guida ses yeux ; entre deux rochers, à quelque dix mètres, il aperçut un loup. Il n'avait pas l'air en bonne forme, le loup, lui non plus. Il avait les oreilles couchées, les yeux striés de sang, la tête baissée. La bête clignait constamment ses yeux chassieux sensibles au soleil. Comme il le regardait, le loup renifla et toussa de nouveau. Il avait l'air moribond.

Voilà, au moins, une chose réelle, pensa-t-il. Il se retourna pour examiner de nouveau le fleuve. Il eut un coup au cœur en revoyant le mer brillante, et même le navire ancré au loin. Était-ce donc une réalité ? Se pouvait-il ?

Il réfléchit aussi vite qu'il put. Avant son trou de mémoire, il avait dû marcher vers le nord-est, et continuer dans la même direction. Donc, il s'était écarté de la Dease pour suivre la vallée de la Coppermine. Ce fleuve, c'était la Coppermine, qui se jetait dans l'océan Glacial Arctique. C'était cela, cette mer éblouissante. Mais le navire ? A la rigueur, un baleinier, égaré à l'est du Mackenzie. Il se rappelait avec une curieuse netteté la carte de la Compagnie de la Baie d'Hudson. Oui, oui, tout était clair.

Il s'assit, lentement, et examina sa situation. Les bandes de couverture qui emmaillotaient ses pieds étaient complètement usées et tombaient en loques. La chair était à vif et séchait, mais il ne ressentait pas de douleur. Tout avait disparu, carabine, couverture, couteau. En revanche, il avait toujours – par quel miracle ? – sa bouilloire qu'il trimbalait depuis tant d'années. Il avait dû perdre tout le reste sans même s'en apercevoir. Les allumettes qui étaient dans son chapeau avaient disparu avec le chapeau. Il lui restait seulement le paquet caché dans la blague à tabac, entouré de papier huilé, à même la peau. Il avait aussi sa montre. Il vit qu'elle marchait et marquait onze heures. Il avait dû la remonter par la force de l'habitude.

Il était très calme, maintenant. Il n'avait absolument aucune sensation de faim, rien qu'une immense faiblesse. Il hocha la tête en voyant sa cheville, qu'il ne sentait même pas.

Avant d'entamer le terrible voyage en direction du navire, il arracha de la mousse, autour de lui, prépara du feu pour faire chauffer de l'eau. Il essaya de se mettre sur ses pieds, mais ne put y parvenir. Il marcha lentement à quatre pattes. Il alla un peu dans la direction du loup malade. L'animal se leva à contrecœur, s'écartant de son chemin en léchant ses babines molles. Il remarqua que la langue du loup, au lieu d'être rouge, semblait d'un jaune-brun, comme sèche et couverte d'un mauvais mucus.

Il but son pot d'eau chaude et estima qu'il pouvait se tenir debout. Peut-être marcher. Il partit. Le loup le suivit.

Toutes les minutes, à peu près, il devait s'arrêter, souffler, se reposer, laisser se calmer son cœur. Puis il repartait.

Au soir, il estima avec désespoir qu'il n'avait fait que six kilomètres.

Pendant la nuit, il entendit le loup tousser, près de lui. Au loin, on entendait le beuglement de rappel des caribous.

Il savait bien pourquoi le loup n'allait pas vers cette vie si proche, ce gibier offert. Le loup était beaucoup trop faible pour tuer un caribou, et il attendait que l'homme meure avant lui pour le dévorer. Au matin, il le vit qui le fixait de ses yeux sanguinolents et envieux, la queue entre les jambes, comme un misérable chien pelé. Le loup tremblait de fièvre dans le petit jour glacé et retroussait les babines de façon mécanique, quand l'homme lui parlait à voix qu'il croyait haute et qui n'était qu'un chuchotement enroué.

Toute la matinée, ils marchèrent lentement l'un derrière l'autre. L'homme malade regardait de temps en temps le loup malade. Aucun n'avait la force de tuer l'autre et de le dévorer.

Le temps était splendide ; c'était le bref été indien des hautes latitudes.

L'après-midi, il vit des traces, celles d'un homme qui tantôt marchait, tantôt se traînait à quatre pattes.

Il pensa que ç'aurait pu être celles de Bill, par exemple, mais ne s'attarda pas à cette question. Ses idées étaient vagues et sans sujet de préoccupation autre que d'avancer.

Les sensations l'avaient abandonné. Seule vivait encore l'étincelle de vie qui refusait de mourir, le poussant en avant, sans volonté. Il fallait marcher. Il fallait.

Machinalement, il suivait la trace de l'autre homme, celui qui avait marché à quatre pattes. Il tomba bientôt sur ce qui en restait : quelques os épars fraîchement nettoyés. Le sol humide gardait la trace de nombreuses empreintes de loup.

Son œil fut attiré par une lueur jaune, il vit l'or sortant d'un petit sac en peau d'élan que les loups avaient déchiré. Le frère du sien. Oui, c'était bien Bill. Il le ramassa, malgré son poids. « Ha, ha, ha ! » Bill l'avait porté jusqu'ici. C'était lui qui pouvait rire, maintenant. Il porterait le sac avec lui jusqu'au bateau solide sur la mer éclatante. Les os de Bill resteraient derrière. Son rire rauque et haletant était effroyable. Le loup y répondit par un bref hurlement qui se termina en gargouillis et en quinte de toux. Il cessa de rire. Comment rire des os de Bill ?

Bill l'avait abandonné sans pitié, mais il ne rirait pas de Bill. Et il ne sucerait pas ses os. Bill l'aurait sûrement fait, à sa place. Sacré Bill !

Près d'une mare, il se pencha pour voir s'il y avait des poissons. Il vit son visage reflété dans l'eau et recula d'horreur. Ses os semblaient crever sa peau ; il ne put voir ses yeux, au fond des orbites caves, mais il vit ses dents qui sortaient de ses lèvres.

Il y avait deux ou trois poissons, dans la mare, mais il renonça à les attraper : l'eau était trop profonde et il craignait de s'y noyer par faiblesse. De même, il renonça à l'idée qui lui était venue de descendre le fleuve en enfourchant l'un des troncs d'arbre qui dérivaient lentement vers la mer.

Ce soir-là, il avait fait cinq kilomètres. Le jour suivant, il en fit trois. Il ne s'expliquait pas comment il n'était pas encore mort. Le sujet l'intéressait peu, d'ailleurs. Il rampait, maintenant, comme Bill à la fin. Au soir, il découvrit que le navire devait être à dix kilomètres. Combien de temps lui faudrait-il encore, avec ce loup qui reniflait et toussait sur ses talons ?

Il avait enveloppé ses pieds dans les restes de sa chemise. Son pantalon s'était usé et découvrait ses genoux à vif, laissant sur la mousse rêche des traces de sang. Il vit le loup, une fois, en regardant en arrière, qui léchait ces traces. Il s'en soucia, curieusement.

Si le loup avait été en pleine force, cette fin-là ou une autre lui aurait été indifférente. Mais la pensée de nourrir cette bête dégoûtante et moribonde le révoltait.

Il commençait à s'évanouir de plus en plus longtemps. Une fois, ce fut la respiration sifflante du loup à son oreille qui le réveilla. Le loup battit en retraite misérablement, lourdement, et tomba de faiblesse à quelques mètres. Il regarda longuement ce ridicule compagnon de misère. Il n'avait pas peur, il était trop épuisé pour cela. L'esprit un peu plus clair, il regarda aussi le bateau. Il ne devait pas être à plus de cinq ou six kilomètres, maintenant. Il le voyait distinctement, à travers les points lumineux qui dansaient devant ses yeux. Il distinguait aussi de temps en temps la voile blanche d'une chaloupe qui tirait des bords énigmatiques entre le navire et la terre.

Qu'est-ce qu'ils pouvaient bien fabriquer ? Il n'aurait jamais la force de faire ces six kilomètres. Pourtant, il voulait vivre, de toutes les fibres épuisées de son corps. Il n'y avait pas de raison pour mourir, après toutes ces souffrances, n'est-ce pas ?

En fait, il se sentait bien, comme engourdi par une mer tiède qui montait lentement autour de lui, annihilant toute sensation, toute peur. Puis la lucidité revenait pour un temps.

Couché sur le dos, immobile, il entendait se rapprocher lentement, doucement, avec des haltes et des attentes précautionneuses, le halètement enroué du loup malade. Il ne bougea pas. Le loup était maintenant tout près de lui. Il sentit la langue rêche et cotonneuse râper son oreille. Avec un bref sursaut d'énergie, il jeta les mains vers le loup, les doigts raidis en griffes. Bien sûr, il le manqua. Il faut de la force pour être précis et rapide. Et l'homme n'avait pas de forces. Le loup avait sauté en arrière.

La patience de la bête était inépuisable. Celle de l'homme ne l'était pas moins. Il resta plus d'une demi-journée couché sur le dos, sans bouger. Il luttait contre l'inconscience, guettant de son mieux le souffle du loup. Il fallait que l'un des deux servît de nourriture à l'autre. Parfois, une mer de douceur sans bornes montait dans son esprit et il se sentait partir à la dérive dans cet océan bienheureux, mais, au fond de lui-même, la flamme de vie veillait, vacillante, guettant patiemment le contact de la langue râpeuse.

Il ne l'entendit pas s'approcher, ne l'entendit pas souffler et passa sans transition de l'inconscience à la sensation de langue rêche sur sa main. Il resta immobile et attendit. Les crocs se refermèrent doucement sur sa main : le loup donnait ses dernières forces pour mordre enfin à cette viande passionnément attendue depuis si longtemps. Mais l'homme aussi attendait depuis longtemps, et la main mordue se referma sur la mâchoire et la retint. Et, tandis que le loup se débattait faiblement, l'autre main de l'homme atteignit le cou de la bête, crochant dans la fourrure et affermissant peu à peu la prise.

L'homme écrasait maintenant l'animal sous lui, sans forces l'un pour mordre, l'autre pour étrangler. L'homme avait la figure enfoncée dans l'épaule du loup, la bouche pleine de poils qu'il mordait. Au bout d'une demi-heure, le loup ne remuait presque plus. L'homme eut la sensation de quelque chose de tiède et de gluant qui coulait dans sa gorge. L'effet était horrible. Il eut l'impression que du plomb en fusion coulait dans son estomac rétréci.

Plus tard, la bouche sanglante, il roula sur le côté et s'endormit.

Le *Bedford* était bien un baleinier américain. Mais il y avait à bord une expédition scientifique, des hommes frêles à lunettes d'acier qui s'intéressaient aux choses de la nature.

Du pont du navire, ils remarquèrent une chose singulière qui avançait lentement vers les vagues, descendant le rivage progressivement. Comme c'étaient des hommes de science, ils furent curieux de savoir ce que c'était et embarquèrent dans la chaloupe amarrée le long du navire.

Ils découvrirent quelque chose de vivant qui avait dû autrefois être un homme. C'était aveugle, sourd, cela rampait par terre comme une énorme chenille, avec des mouvements presque inutiles, mais continus. Cela avançait peut-être de dix mètres en une heure. On ramena la chose à bord.

Trois semaines plus tard, l'homme reprit conscience dans l'infirmerie du navire. On sut ainsi qui il était et ce qu'il avait enduré. Il parlait de façon incohérente, avec de grosses larmes roulant sur ses joues creuses, de famille en Californie, de maison au soleil et d'orangers en fleur.

Quelques jours plus tard, il put se tenir à table avec les hommes de science et les officiers. Il ne quittait pas des yeux la nourriture sur la table, la regardait avec inquiétude disparaître dans la bouche des autres. Quand il voyait la bouchée avalée, il soupirait.

Il avait toute sa raison, mais il haïssait les gens quand ils mangeaient. Il était hanté par la crainte que les vivres vinssent à s'épuiser. Il interrogea avec anxiété le commandant, le cuisinier, les officiers, les domestiques des savants sur les provisions de la cambuse. On le rassura, mais il fallut lui faire voir de ses yeux les abondantes provisions du baleinier.

On remarqua qu'il engraissait. D'une façon incroyable, même. Les savants s'étonnèrent et firent des hypothèses. Ils lui donnèrent des repas moins copieux, mais son tour de taille augmentait de jour en jour.

Les matelots riaient de la simplicité des savants. Eux, ils savaient. Et quand les hommes de science, intrigués, surveillèrent l'homme, ils finirent par comprendre. Le déjeuner fini, l'homme allait à l'avant et accostait les matelots, la main tendue, mendiant d'un air suppliant. Les matelots souriaient et lui donnaient de bon cœur des morceaux de biscuits de mer, qu'il cachait sous sa chemise, avec des regards furtifs, comme s'il avait volé de l'or.

Les savants, compréhensifs, le laissèrent à sa lubie et examinèrent discrètement sa couchette. Il y avait du biscuit partout, sous le matelas, dans l'oreiller, dans tous les trous, toutes les cachettes, toutes les fissures. Il n'était pas fou, non; simplement, il se protégeait contre une famine possible et entassait des provisions.

Les savants assurèrent que cette manie lui passerait bientôt, et, en effet, elle lui était passée lorsque le baleinier revint de campagne et jeta l'ancre à grand bruit dans la baie de San Francisco.

TABLE DES MATIÈRES

	Pages
L'appel de la forêt	
Chapitre I.	5
— II.	19
— III.	30
— IV.	51
— V.	59
— VI.	66
— VII.	86
— VIII.	105
— IX.	114
Le val Rien-qu'en-or	125
La passion de vivre	155